# En contacto

## *Writing practice for GCSE Spanish*

***Ken Hall and Steve Haworth***

Hodder & Stoughton

A MEMBER OF THE HODDER HEADLINE GROUP

A catalogue record for this title is available from The British Library

ISBN 0 340 68854 8

First published 1998

| Impression number | 10 | 9 | 8 | 7 | 6 | 5 | 4 | 3 | 2 | 1 |
|---|---|---|---|---|---|---|---|---|---|---|
| Year | 2003 | 2002 | 2001 | 2000 | 1999 | 1998 | | | | |



Typeset by Wearset, Boldon, Tyne and Wear.
Printed in Great Britain for Hodder & Stoughton Educational, a division of Hodder Headline Plc, 338 Euston Road, London NW1 3BH by Scotprint, Musselburgh, Scotland.

# Contents

# Preface

*En contacto* aims to provide materials which will help students to develop their writing skills in Spanish. The eight units are linked thematically to National Curriculum and GCSE topic areas but are also suited to many other schemes of work, including the non-specialised aspects of GNVQ, FLIC and FLAW examinations.

We hope, however, that *En contacto* will not just be seen as an exam preparation book, nor exclusively a text for Key Stage 4. We have tried to present language which is authentic and contemporary, and above all useful as a means for understanding and making oneself understood.

Each of the eight units stands alone and can therefore be used at the appropriate time to supplement course work. They follow the pattern of presenting the student initially with a model letter followed by a wide range of activities to focus on and practise systematically the key language and structures. The final tasks in each section ('¡Te toca a ti!') encourage the student to use what has been learnt in a creative and personally appropriate way.

Although *En contacto* is primarily aimed at practising writing, it also develops other language skills by engaging students in activities which encourage them to interact with texts in a variety of ways.

Activities have not been labelled as being suited to a particular ability level. We believe that the teacher is the person best placed to decide which tasks should be attempted by which pupils.

We would like to thank the Modern Languages Editorial staff at Hodder & Stoughton for their patience at all stages of this project, and our wives Rosa and Anne, for their unfailing encouragement and support. Thanks also to Antonio Martos and friends in Infiesto, Asturias, and to Rosa Hall for providing handwritten texts.

Ken Hall and Steve Haworth, 1997

# Introducción

Read this letter which your Spanish penfriend has written to you, paying particular attention to how it is set out, how it starts, and how it finishes.

Madrid 7 de julio

Hola:

Gracias por tu carta que llegó ayer. Me alegro mucho de saber que vas a poder venir a pasar unos días en mi casa. Mis amigas tienen muchas ganas de conocerte. Llámame para decirme la fecha exacta de tu llegada y la hora y número del vuelo. Iré al aeropuerto a esperarte.

Hasta pronto.

Tu amiga,

Marta

Here are the general principles you need to know when writing letters in Spanish.

## The address and the date

### Informal letters

Spanish people do not usually write their full address at the top of the page, only the name of the town or city where they live. Nor do they write the details of the addressee.

### Formal letters

If your address is not printed on the letterhead, write it in the top right-hand corner of the letter and add the date underneath. Write in the left-hand margin the full name and address of the person or company to whom you are sending the letter.

# The greeting

This is the phrase which is used to start the letter. It is followed by a colon [:].

## Informal letters

Use **Querida** (+ first name) when writing to a female, e.g. **Querida Ana**; and **Querido** + (first name) when writing to a male, e.g. **Querido Juan**. Young people often begin their letters with the simple greeting **¡Hola!**

## Formal letters

Use **Muy señor mío** when writing to a male, or **Muy señora** (or **señorita**) **mía** when writing to a female. If you know the person's surname then use one of the following: **Estimada Señora Cerquera** or **Estimado Señor Pacheco.**

# The text

Start the main part of your letter with a capital letter. You can write personal letters by hand, but it is probably better to type or word-process a business letter, adding your signature at the end, after the closing phrase. Then underneath your signature type your full name and title.

Remember to use the appropriate form of address in your letter. Use **tú** for letters to friends and **usted** for formal letters or letters to people you don't know very well.

# The closing phrase

This is a short phrase written two spaces beneath the text to finish a letter.

## Informal letters

A personal letter can be finished with **Un abrazo de** . . ., **Un saludo de** . . ., **Recuerdos** . . . or simply **Tu amigo/a** . . .

## Formal letters

A usual ending for a formal letter would be **Le saluda atentamente** . . .

# Addressing the envelope

Note how these envelopes are addressed.

Sta. María González,
c/Robledo 23, pta. 8,
46008 Valencia,
Spain.

Sr. Javier Brotons,
Avda. Fernand Católica 7, 2ª Dcha.
38001 Barcelona.

Sra. Rosa Gimeno,
Pl. Honduras 49, 5ª Izda.
21006 Madrid.

The abbreviations used in front of the names are **Sta.** (**Señorita** = Miss), **Sr.** (**Señor** = Mr.) and **Sra.** (Señora =Mrs).

In the address the abbreviations are **C/.** (**Calle** = Street), **Avda.** (**Avenida** = Avenue) and **Pl.** (**Plaza** = Square).

The address of the sender goes on the back of the envelope. If you are posting a letter in Spain this is compulsory.

Rte. Miss Susan Padmore,
24 Carlton Drive,
Leeds LS18 4TW,
INGLATERRA.

**Rte.** is short for **Remitente** (sender).

The following phrases and expressions will help you when writing a letter.

# Starting your letter

## Informal letters

| | |
|---|---|
| Querido Juan | *Dear Juan* |
| Querida Ana | *Dear Ana* |
| Queridos amigos<br>Queridas amigas | *Dear friends* |
| Querida familia | *Dear family* |

## Formal letters

| | |
|---|---|
| Muy Sr. mío | *Dear Sir* |
| Muy Sres. míos | *Dear Sirs* |
| Muy señora/señorita mía | *Dear madam* |
| Estimado Sr.Pacheco | *Dear Mr. Pacheco* |
| Estimada Sra. Gutiérrez | *Dear Mrs. Gutiérrez* |
| Estimada Sta. Cerquera | *Dear Miss Cerquera* |

# Openings

## Informal letters

| | |
|---|---|
| Mi profesor(a) me ha dado tu dirección. | *My teacher has given me your address.* |
| Me alegro mucho de haber recibido tu postal. | *I am delighted to have received your post card.* |
| Escribo para contestar tu carta que acabo de recibir. | *I am writing in answer to your letter which I have just received.* |

## Formal letters

| | |
|---|---|
| Acuso recibo de su carta del 12 de mayo. | *I acknowledge receipt of your letter of 12 May.* |
| En respuesta a su amable carta del 4 de junio . . . | *In reply to your kind letter of 4 June . . .* |

# Saying thank you

## Informal letters

(Muchas) gracias por . . . — *(Many) thanks for . . .*

## Formal letters

Agradezco su . . . — *Thank you for your. . .*

# Apologising

| | |
|---|---|
| Siento (mucho) . . . | *I am (very) sorry . . .* |
| Discúlpame (***informal***) por . . .<br>Discúlpeme (***formal***) por . . . | *Please forgive me for . . .* |
| . . . no haber escrito desde hace mucho tiempo. | *. . . not having written for a long time.* |
| . . . no haber contestado tu carta antes. | *. . . not having answered your letter before now.* |
| . . . haber olvidado tu cumpleaños. | *. . . having forgotten your birthday.* |

# Expressing regret

| | |
|---|---|
| Es una lástima que . . . | *It's a pity that . . .* |
| Es mala suerte que . . . | *It's bad luck that . . .* |
| Lamento tener que decirte que . . . | *I regret to have to tell you that . . .* |

# Expressing pleasure

Me alegro mucho decirte que . . . — *I am very pleased to tell you that . . .*

| | |
|---|---|
| Sería un placer . . . | *It would be a pleasure . . .* |
| Sería buena idea . . . | *It would be a good idea . . .* |
| Me gustaría (mucho) . . . | *I would (really) like . . .* |

# Enclosures

## Informal letters

| | |
|---|---|
| Te envío (una foto/un plano). | *I am sending you (a photo/a plan).* |

## Formal letters

| | |
|---|---|
| Adjunto (un mapa/un folleto). | *I enclose (a map/a brochure).* |

# Requests

## Informal letters

| | |
|---|---|
| Mándame . . . | *Send me . . .* |
| Dame . . . | *Give me . . .* |
| Dime . . . | *Tell me . . .* |
| ¿Puedes enviarme . . .? | *Can you send me . . .?* |
| ¿Podrías llamarme . . .? | *Could you phone me . . .?* |

## Formal letters

| | |
|---|---|
| Envíeme . . . | *Send me . . .* |
| Le ruego me envíe . . . | *Would you please send me . . .* |
| ¿Podría decirme . . .? | *Could you tell me . . .?* |

# Questions

| | |
|---|---|
| ¿**Dónde** está tu casa exactamente? | ***Where*** *is your house exactly?* |
| ¿**Cuándo** vas a venir a verme? | ***When*** *are you going to come and see me?* |
| ¿**Qué** te gusta hacer los fines de semana? | ***What*** *do you like to do at the weekends?* |
| ¿**Cuántos** hermanos tienes? | ***How many*** *brothers and sisters do you have?* |
| ¿**Cuántas** personas hay en tu clase? | ***How many*** *people are there in your class?* |
| ¿**Por qué** no vienes a pasar el verano con nosotros? | ***Why*** *don't you come and spend the summer with us?* |
| ¿**Quién** es la persona a la derecha de la foto? | ***Who*** *is the person on the right of the photo?* |
| ¿**Cuál** es el mejor día para llamarte? | ***Which*** *is the best day to call you?* |
| ¿**Cómo** vas al colegio? | ***How*** *do you go to school?* |

# Endings

## Informal letters

| | |
|---|---|
| Escríbeme pronto. | *Write to me soon.* |
| Espero recibir pronto noticias tuyas. | *I hope to hear from you soon.* |
| Sin más por ahora. | *That's all for now.* |
| Un abrazo (muy fuerte). | *(Lots of) love.* |
| Afectuosamente. | *Affectionately.* |
| Besos. | *Kisses.* |
| Recuerdos (a tu familia). | *Regards (to your family).* |
| Hasta pronto. | *See you soon.* |
| Hasta la próxima. | *Until the next time.* |

## Formal letters

| | |
|---|---|
| Le saluda atentamente | *Yours faithfully* |
| Atentamente | *Yours sincerely* |
| Un saludo cordial de . . . | *Warm greetings from . . .* |

# Glosario de instrucciones

Anota los detalles.
*Note down the details.*

Apunta el nuevo vocabulario.
*Note down the new vocabulary.*

Busca la palabra en el diccionario.
*Look up the word in the dictionary.*

Cambia las palabras subrayadas.
*Change the underlined words.*

Cierra el libro.
*Close the book.*

Clasifica las palabras bajo estas categorías.
*Classify the words in these categories.*

Compara la lista.
*Compare the list.*

Completa este cuadro con la información necesaria.
*Complete the grid with the necessary information.*

Completa este resumen/estas frases/el crucigrama.
*Complete this summary/these sentences/the crossword.*

Con la ayuda de esta información . . .
*With the help of this infomation . . .*

Consulta el diccionario para comprobar tu respuesta.
*Consult your dictionary to check the answer.*

Contesta estas preguntas.
*Answer these questions.*

Contra el reloj.
*Against the clock.*

Copia las frases en el orden correcto.
*Copy the phrases in the correct order.*

Corrige estas frases.
*Correct these sentences.*

Decide . . .
*Decide . . .*

Descifra las frases.
*Unscramble these sentences.*

Describe . . .
*Describe . . .*

Diseña una tarjeta/un póster.
*Design a card/a poster.*

Elige la mejor frase.
*Choose the best sentence.*

Empareja cada frase con el símbolo correcto.
*Match each sentence with the correct symbol.*

Empieza así . . .
*Start like this . . .*

Empareja cada pregunta con la respuesta correcta.
*Match each question to the correct answer.*

Escribe un párrafo en español.
*Write a paragraph in Spanish.*

Escribe una carta/una nota/una lista/las frases clave/una descripción/un resumen/un anuncio.
*Write a letter/a note/a list/the key phrases/a description/a summary/an advertisement.*

¿Estás de acuerdo con las opiniones?
*Do you agree with the opinions?*

Estudia la lista durante dos minutos.
*Study the list for two minutes.*

Explica los detalles.
*Explain the details.*

Haz una lista.
*Make a list.*

Identifica . . .
*Identify . . .*

Intenta recordar . . ..
*Try to remember . . .*

Inventa unas frases.
*Make up some sentences.*

Lee la carta/el mensaje/los comentarios.
*Read the letter/the message/the captions.*

Mira las fichas durante dos minutos.
*Look at the forms for two minutes.*

Mira los símbolos/los planos/los dibujos.
*Look at these symbols/the plans/the drawings.*

Pon/escribe las frases en el orden correcto.
*Put/write the sentences in the correct order.*

¿Por qué (no)?
*Why (not)?*

Puedes usar un diccionario si quieres.
*You can use a dictionary if you want.*

¿Qué consejo darías?
*What advice would you give?*

¿Qué tipo de persona es?
*What type of person is he/she?*

Rellena los espacios en blanco.
*Fill the gaps.*

Sugiere . . .
*Suggest . . .*

Tápalo con una hoja de papel.
*Cover it with a piece of paper.*

¡Te toca a ti!
*It's your turn!*

Usa tus apuntes
*Use your notes*

Unidad 1

# Mi familia y yo

## Una carta de tu amiga española

Valencia 13 de marzo

¡Hola!

Me llamo Teresa Martínez. Soy estudiante en el Instituto Luis Vives. Mi profesor de inglés me ha dado tu dirección y me gustaría ser tu amiga por correspondencia. Junto con esta carta te envío una foto de mi familia.

Tengo quince años y vivo en un piso en las afueras de Valencia con mis padres. Soy bastante bajita, con el pelo negro y los ojos marrones. Tengo un hermano mayor que se llama Roberto. Es alto y muy guapo. Tiene dieciocho años y de momento está sin trabajo, pero le gustaría ser modelo. A pesar de ser muy diferentes, mi hermano y yo nos llevamos bastante bien.

Mi padre se llama Ramón. Tiene cuarenta y dos años y trabaja en un banco en el centro de la ciudad. Es alto y moreno. Mi madre, Mónica, tiene cuarenta años y es dentista en una clínica cerca de casa. Es baja y morena.

Me gustan mucho los animales. Tenemos un canario en una jaula en la terraza. Me gustaría tener un perro también pero vivimos en un apartamento y es muy difícil.

Bueno, creo que ya está bien por ahora. Espero recibir pronto noticias tuyas. Mándame una foto de tu familia también si puedes.

Hasta pronto

Tu nueva amiga

Teresa

## Los puntos clave

**1** Después de leer la carta completa este cuadro con la información necesaria.

**Por ejemplo:**

| Nombre | ¿Quién? | Edad | Detalles personales | Profesión |
|---|---|---|---|---|
| *Teresa* | *yo* | *15 años* | *bastante bajita; pelo negro ojos marrones* | *estudiante* |
| *Roberto* | | | | |
| *Ramón* | | | | |
| *Mónica* | | | | |

## ¿Qué contesta Teresa?

**2** ¿Qué contesta Teresa a estas preguntas? Empareja cada pregunta con la respuesta correcta.

**¿Cómo te llamas?**

**¿Tienes hermanos?**

**¿Cómo se llama tu madre?**

**¿Tienes animales en casa?**

**¿Cómo es tu padre?**

**¿Qué hace tu madre?**

**¿Qué haces?**

Es alto y moreno.

Se llama Mónica

Sí. Tengo un hermano mayor que se llama Roberto.

Es dentista en una clínica.

Soy estudiante.

Me llamo Teresa.

Sí. Tengo un canario.

# Mi familia y yo

| Me llamo . . . *My name is . . .* | |
|---|---|
| Tengo *I have* | un hermano (mayor/menor) *one/a(n) (older/younger) brother*<br>dos hermanos *two brothers*<br>una hermana *one sister*<br>un hermanastro *a stepbrother*<br>una hermanastra *a stepsister*<br><br>un gato *a cat*<br>un perro *a dog*<br>un conejo *a rabbit*<br>un pez *a fish* |
| Tengo *I am*<br><br>Tiene *He/she is* | quince años *15 years old*<br><br>cuarenta años *40 years old* |
| No tengo *I don't have* | hermanos *any brothers or sisters*<br>padre *a father*<br>madre *a mother* |
| Soy *I am* | hijo único *an only son*<br>hija única *an only daughter* |
| Mi padre/madre es *My father/mother is* | viudo/a *widowed* |
| Mis padres están *My parents are* | divorciados *divorced*<br>separados *separated* |
| Mi hermano/a está *My brother/sister is* | casado/a *married* |

| Mi *My* | padre/padrastro *father/stepfather*<br>madre/madrastra *mother/stepmother*<br>hermano/a *brother/sister*<br>abuelo/a *grandfather/mother*<br>tío/a *uncle/aunt*<br>mejor amigo/a *best friend* | se llama . . . *is called . . .* |
|---|---|---|

## Unos apuntes

**3** Antes de escribir una carta es una buena idea organizar tus ideas. Anota aquí los detalles de tu familia que vas a incluir en una carta a tu nuevo amigo/a español/a.

**Por ejemplo:**

| ¿Quién? | Nombre | Edad | Descripción | Animales |
|---|---|---|---|---|
| *yo* | | | | |
| *padre* | | | | |
| *madre* | | | | |
| *hermano* | | | | |
| *hermana* | | | | |

Ahora usa tus apuntes para escribir una frase para describir cada persona.

## Un mensaje por correo electrónico

**4** Recibes un mensaje por correo electrónico de tu nueva amiga española. Pero ¡hay un problema con esta parte! Copia las frases en el orden correcto.

enfermera. Su novio se llama Pablo. Es un chico muy simpático. Tiene un poco gorda, con el pelo corto. De momento no tengo trabajo fijo, veintiún años y estudia medicina en la Universidad. Es inteligente y muy trabajador. En cuanto a mí, yo tengo dieciocho años, soy bajita y años y trabaja en un hospital en el centro de la ciudad donde es bastante alta. Tiene los ojos verdes y el pelo rubio y largo. Tiene veinte Vivo en las afueras de Salamanca con mi hermana Conchita. Es pero de vez en cuando ayudo en un bar cerca de casa.

## Las fotos de la familia

**5** Imagina que tú eres la persona indicada y describe cada familia.
**Por ejemplo:**

**a**

Me llamo Pedro. Tengo quince anos. Tengo una hermana menor que se llama Maria. Ella tiene nueve años. Mi padre se llama Alberto y mi madre Juanita. Tambien tengo un perro que se llama Ren

**b**

**c**

## ¡Te toca a ti!

**6** Escribe un párrafo en español para describirte a ti y a tu familia.

# Datos personales

## ¿Cómo son los miembros de tu familia?

| Soy *I am* | | pelirrojo/a *a redhead* |
|---|---|---|
| Tengo *I have* | el pelo *hair* | rubio *blond*<br>moreno *dark*<br>negro *black*<br>castaño *brown*<br>canoso *grey*<br>corto *short*<br>largo *long* |
| Tiene *He/she has* | los ojos *eyes* | azules *blue*<br>marrones *brown*<br>verdes *green*<br>grises *grey*<br>bonitos *pretty*<br>grandes *big* |
| Soy *I am*<br><br>Es *He/she is* | bastante *quite*<br>muy *very*<br>un poco *a little* | alto/a *tall*<br>bajo/a *short*<br>gordo/a *fat*<br>delgado/a *thin*<br>simpático/a *nice*<br>paciente *patient*<br>guapo/a *good-looking/beautiful*<br>feo/a *ugly*<br>amable *friendly*<br>trabajador/a *hard-working*<br>grande *big*<br>pequeño *small*<br>inteligente *intelligent* |
| Mido *I measure (= I am)*<br>Mide *He/she measures (= he/she is)* | alrededor de *about* | un metro sesenta *one metre sixty* |
| Peso *I weigh*<br>Pesa *He/she weighs* | unos *about* | cincuenta kilos *fifty kilos* |

## Una descripción

**7** Con la ayuda de la información anterior escribe una descripción de cuatro personas que conoces (amigos/ compañeros de clase o miembros de tu familia).

**Por ejemplo:**

> Mi mejor amiga se llama Carla. Tiene el pelo largo y castaño, y los ojos azules. Es bastante guapa y muy simpática. Es alta también. Mide alrededor de un metro setenta, y pesa unos cincuenta kilos.

## ¿Cómo eres tú?

**8** Ahora, sin mirar la información anterior, Escribe unas frases para explicar cómo eres tú.

Me llamo . . .    Tengo . . .    Soy . . .

Mido . . .    Peso . . .

# Repaso

## Se busca

**9** Mira estas tres fichas (a–c) durante dos minutos. Luego cierra el libro y escribe una descripción de cada persona.

**a**

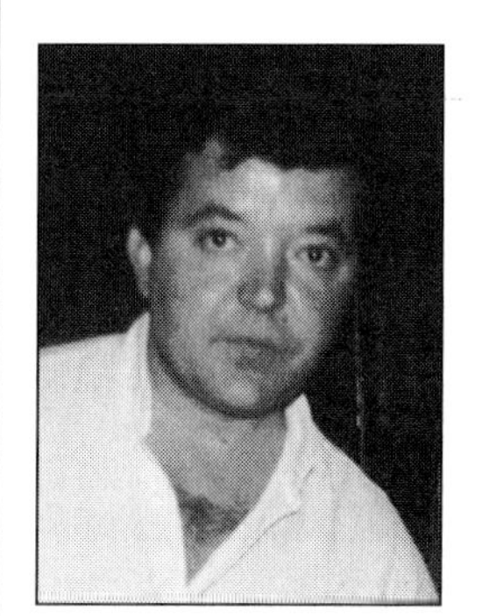

**Nombre:** Ernesto
**Apellidos:** Gimeno Montoro
**Edad:** 46 años
**Estatura:** 1m80
**Peso:** 78 kilos
**Pelo:** negro
**Ojos:** azules

**b**

**Nombre:** Rosario
**Apellidos:** Pascual Hernández
**Edad:** 23 años
**Estatura:** 1m65
**Peso:** 49 kilos
**Pelo:** rubio
**Ojos:** verdes

**c**

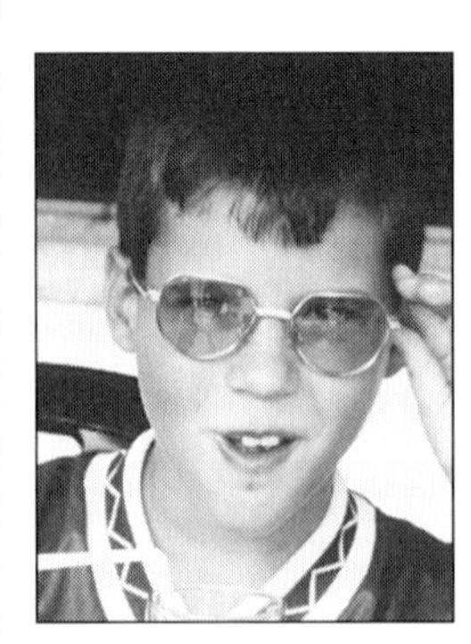

**Nombre:** Javier
**Apellidos:** Brotons Belenguer
**Edad:** 11 años
**Estatura:** 1m37
**Peso:** 39 kilos
**Pelo:** castaño
**Ojos:** marrones

# El trabajo

¿Dónde trabaja tu padre? *Where does your father work?*
¿En qué trabaja tu madre? *What work does your mother do?*
¿Qué hace tu hermano? *What does your brother do?*
¿Tu hermana trabaja? *Does your sister work?*

| | | | |
|---|---|---|---|
| Mi *My* | madre *mother*<br>padre *father*<br>tío/tía *uncle/aunt*<br>hermano/a *brother/sister*<br>abuelo/a *grandfather/ grandmother* | trabaja *works* | en un laboratorio *in a laboratory*<br>en una cafetería *in a cafe*<br>en un restaurante *in a restaurant*<br>en un hotel *in a hotel*<br>en Correos *in the Post Office*<br>en un colegio *in a school*<br>en una fábrica *in a factory*<br>en una tienda *in a shop*<br>en una oficina *in an office*<br>en un banco *in a bank*<br>en un hospital *in a hospital*<br>en un garaje *in a garage*<br>en casa *at home*<br>en una granja *in a farm* |

| Es | |
|---|---|
| | empleado de banco *bank employee* |
| | contable *accountant* |
| | hombre/mujer de negocios *businessman/woman* |
| | director/a *manager* |
| | enfermero/a *nurse* |
| | estudiante *student* |
| | obrero/a *worker* |
| | cartero *postman* |
| | camionero *lorry driver* |
| | dependiente *shop assistant* |
| | carnicero/a *butcher* |
| | dueño de una fábrica *factory owner* |
| | jefe *boss* |
| | granjero *farmer* |
| | ingeniero *engineer* |

Está sin empleo/trabajo }
Está en paro } *He/she is unemployed*

No trabaja *He/she does not work*

## Más profesiones

**10** Copia estas profesiones bajo estas tres categorías. Puedes usar un diccionario si quieres.

**Por ejemplo:**

| Trabajo interior | Trabajo exterior | Trabajo interior y exterior |
|---|---|---|
| dentista | | |

militar conductor periodista profesor mecánico técnico camarero policía ingeniero secretaria cartero

Compara tu lista con la de tu pareja. ¿Son iguales? Si no, ¿qué diferencias hay? ¿Por qué?

## Contra el reloj

**11** Lee este párrafo durante dos minutos, luego cierra el libro. Imagina que tú eres Miguel. En un minuto ¿cuántos detalles puedes recordar en español?

> ¡Hola! Soy Miguel.
>
> Mi padre es muy trabajador. Trabaja en una oficina en el centro de la ciudad. Es periodista. Mi madre es profesora de matemáticas en un colegio cerca de casa. Es muy inteligente y paciente. Mi hermano menor no trabaja. Es estudiante en la universidad. Mi hermana mayor, Yolanda, es secretaria. De momento trabaja en un banco en el centro. Es una chica muy simpática.

## ¿Qué hacen estas personas y dónde trabajan?

**12** Con la ayuda de las fotos inventa unas frases para describir lo que hace cada miembro de la familia.

**Por ejemplo:**

> *Mi padre es ingeniero. Trabaja en una fábrica.*

**a**

Mi padre

Mi madre

Mi hermana

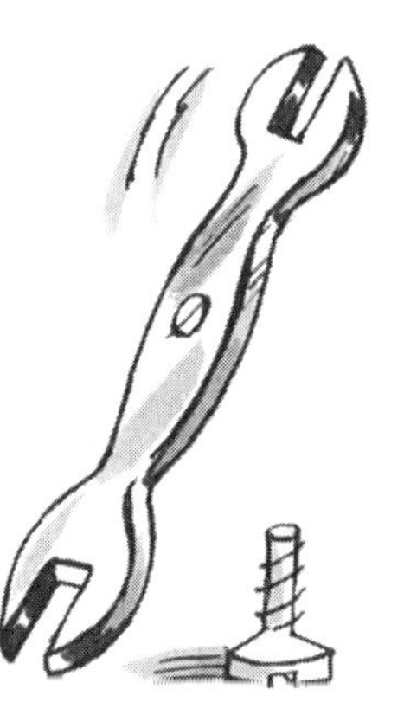

Mi hermano

## ¡Te toca a ti!

**13** Ahora contesta estas preguntas.

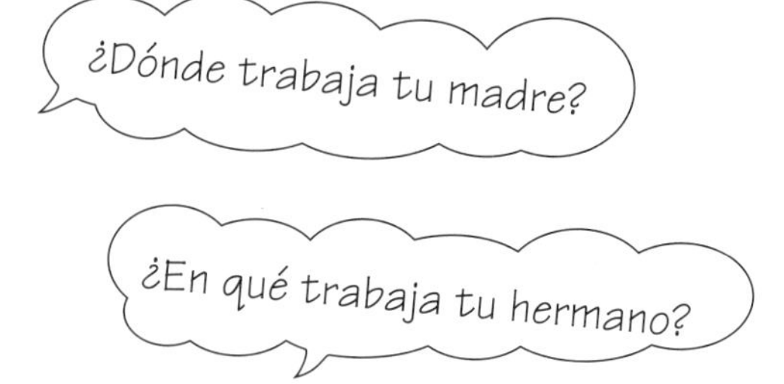


## Problemas con la carta

**14** Has recibido esta carta de tu nueva amiga por correspondencia pero algunas palabras son difíciles de leer. ¿Puedes escribirlas bien?

Palma de Mallorca 15 de mayo

Querida Jane

Mi profesor acaba de darme tu dirección y te escribo porque quiero tener una amiga por correspondencia en Inglaterra para practicar mi inglés.

Me llamo María Teresa Lozano y soy de Alicante. Tengo 16 años y mi cumpleaños es el 23 de octubre. Vivo con mi ma[illegible] y mis hermanas en el centro de Palma en un apartamento bastante grande. Mis padres están divorc[illegible] pero veo a mi padre muy a menudo y me [illegible]vo bien con él. Es alto y mo[illegible]o. Trabaja en un hotel. Es [illegible]rero.

Mi madre, Julia, tiene 35 años. Tiene el [illegible] largo y los ojos a[illegible]es. Es muy si[illegible]páti[illegible] y además de ser mi madre es muy buena amiga. Es psicóloga y trabaja en el hospital. ¿Cómo son tus padres?

Tengo dos hermanas [illegible]res. La más pequeña se llama Laura y tiene cinco años. Es rubia y lleva gafas. Es muy habladora. La otra que tiene ocho años se llama Rosa. Ella es mo[illegible]en[illegible] con los ojos verdes. Tengo un canario y un p[illegible] negro que se llama Tomba.

Bueno, nada más de momento. Por favor, [illegible] una foto de tu familia y unas postales de tu pueblo.

Tu amiga María

# Nos presentamos

## Juan

Hola. Me llamo Juan y tengo 14 años. Tengo un hermano y dos hermanas menores. Mi padre es carnicero y **mi madre trabaja en el hospital. Es secretaria**. Vivimos en un piso en el centro de la ciudad. Mis abuelos viven muy cerca.

## Susana

Yo me llamo Susana y vivo en San Sebastián con mi madre y mi abuela. Mis padres están separados pero se llevan bien. Mi padre trabaja en una fábrica. Es ingeniero. **Mi madre es dependiente** pero de momento no trabaja. Tenemos un canario en la terraza y un gato que se llama Chispa.

## Marta

¿Qué tal? Tengo 16 años y vivo con mis padres y mi hermana mayor en una casa en las afueras de Oviedo. Mis padres son muy simpáticos. Mi madre es dentista y trabaja en un laboratorio. **Mi padre es hombre de negocios** pero de momento está sin empleo. Mi hermana es estudiante de medicina en la universidad.

## Francisco

Soy Francisco. Tengo 15 años. Soy de Madrid pero vivo en Zaragoza con mis padres. Soy hijo único. Vivimos en un piso nuevo. **Mi padre es camionero**. Va muy a menudo al extranjero, sobre todo a Inglaterra. Mi madre trabaja en un hotel. Es camarera.

**15** *a* Ahora, corrige estas frases

i) El padre de Francisco es carnicero.
ii) La madre de Marta trabaja actualmente en una tienda.
iii) La madre de Juan es enfermera en el hospital.
iv) Los padres de Susana están divorciados.

*b* Escribe las frases bien

i) es hermana mi estudiante
ii) son padres simpáticos muy mis
iii) trabaja en es dentista mi madre y un laboratorio
iv) de la vivimos en ciudad el centro un piso en

## Te presentas por carta

**16** Rellena los espacios en blanco con palabras de la lista para completar esta carta.

Leeds 18 de marzo

Querida Rosa

¿Qué tal? Yo soy tu nueva amiga/nuevo amigo por correspondencia. Me llamo _________ y tengo _________ años. Tengo el pelo _________ y los ojos _________. Mido _________. Soy _________ y _________ . Mi padre se llama _________ y tiene _________ años. Trabaja en un _________. Es _________. Mi madre es _________. Trabaja en una _________. Tengo una _________. Se llama Ruth. También tengo un _________.

En tu próxima carta mándame una foto de tu familia por favor.

Sin más por ahora

Un abrazo

**Sarah John quince rubio azules 1.60m alto alta delgado delgada Peter cuarenta hospital enfermero dependiente tienda hermana perro**

## Una carta personal

**17** Ahora sabes escribir tu primera carta a un amigo español o a una amiga española. En tu carta, escribe cómo eres tú y luego incluye unos detalles de cada miembro de tu familia. Describe cómo son y en qué trabajan por ejemplo, y si tienes un animal.

Unidad 2

# Mi pueblo y mi región

## Donde vivo yo

Infiesto, 6 de abril

Querido James:

Mi profesor de inglés me ha dado tu dirección. Estoy muy contento de poder cartearme con un amigo inglés. En esta carta, te voy a contar un poco de mi pueblo y mi región.

Vivo en Asturias en un pueblo que se llama Infiesto. Asturias es una región muy bonita en el norte de España. Llueve bastante en esta parte del país y por eso tiene un paisaje muy verde, con muchos bosques, árboles y campos. En verano suele hacer buen tiempo, aunque en invierno casi siempre nieva y hace mucho frío.

Vivo con mi familia en un apartamento en el centro de Infiesto, cerca del ayuntamiento. No es un apartamento muy grande pero es acogedor. Tiene un salón-comedor, una cocina, tres dormitorios, un cuarto de baño y una pequeña terraza que da a la Plaza del Mercado.

Infiesto es un pueblo bastante grande, situado cerca de las montañas. Tiene unos dos mil habitantes. El río Piloña pasa por el centro del pueblo. Lo bueno de mi pueblo es que es bastante tranquilo, pero lo malo es que no hay mucho que hacer para los jóvenes. Sólo hay una discoteca, una piscina y algunas cafeterías y para pasrlo bien es mejor ir a Oviedo, capital de la región. Está a cuarenta minutos de aquí.

Oviedo es mucho más grande que Infiesto, y como es una ciudad universitaria hay mucho que hacer allí. Por ejemplo, tiene varios cines, un teatro importante y muchos bares y restaurantes.

Junto con esta carta te mando unas fotos de Asturias. Cuando me contestes dime algo de tu pueblo y tu región y mándame unas postales si puedes.

Sin más por ahora, recibe un abrazo de

**a** Vivo en el centro de Infiesto

**b** Mi casa está cerca del ayuntamiento

**c** Asturias es una región muy bonita

## Los puntos clave

**1** Lee la carta de Inés y mira este resumen de la información sobre Asturias.

Haz un diagrama similar para:

**INFIESTO** **OVIEDO**

Ahora con la ayuda de tus apuntes, escribe un párrafo sobre uno de los lugares. Puedes leer la carta otra vez si quieres.

# ¿Cómo es tu región?

| | | |
|---|---|---|
| Está en *It's in* | el norte/el sur *the north/south*<br>el este/el oeste *the east/west*<br>el noreste/el noroeste *the northeast/northwest*<br>el sureste/el suroeste *the southeast/southwest* | del país *of the country* |
| Es una región | bonita *pretty*<br>pintoresca *picturesque*<br>turística *tourist* (adjective)<br>montañosa *mountainous*<br>industrial *industrial*<br>agrícola *agricultural* | |
| Tiene *It has* | bosques *woods/forests*<br>árboles *trees*<br>campos *fields*<br>lagos *lakes*<br>playas *beaches*<br>sierras *mountain ranges* | |

## ¿Cómo es la región?

**2** Mira los símbolos y describe cada región como en el ejemplo.

**Por ejemplo:**

Mi región está en el noroeste del país. Es una región pintoresca. Tiene lagos y playas.

# ¿Qué tiempo hace?

| | |
|---|---|
| En primavera *In Spring*<br>En verano *In Summer*<br>En otoño *In Autumn*<br>En invierno *In Winter* | hace buen tiempo *the weather's good*<br>hace mal tiempo *the weather's bad*<br>hace sol *it's sunny*<br>hace frío *it's cold*<br>hace viento *it's windy*<br>hace calor *it's hot*<br><br>hay niebla *it's foggy*<br>hay tormenta *it's stormy*<br><br>está nublado *it's cloudy*<br>está helado *it's freezing*<br><br>llueve *it rains*<br>nieva *it snows* |

## ¿Cómo es el clima allí?

**3** Copia este resumen del clima y complétalo con palabras de la lista

En otoño hace --- tiempo. ------ mucho en el norte del país. A veces hay ------ y a menudo ---- viento también. En -------- hace muchísimo ---- y todos los días ---- helado. En primavera el clima cambia y hace bastante ---- tiempo. Luego en ------ hace muy buen tiempo. Hace --- y mucho -----.

mal llueve niebla invierno buen sol frío hace está verano calor

## ¡Te toca a ti!

**4** Escribe un párrafo en español para describir tu región y su clima.

## Los símbolos

**5** Con la ayuda de un diccionario, empareja cada frase con el símbolo correcto. Luego apunta el nuevo vocabulario en tu cuaderno.

está despejado    el cielo está cubierto    está nublado    hay lluvia    hace viento

hay chubascos    hay niebla    hay tormenta    hay heladas    hay nieve

## Previsión para hoy

**6** Mira este mapa del tiempo durante dos minutos. Luego tápalo con una hoja de papel y completa las frases para decir qué tiempo hace en cada parte del país.

# Unas detalles particulares

## ¿Dónde vives exactamente?

<table>
<tr><td rowspan="3">Vivo I live<br>Vivimos We live</td><td>en in</td><td>una aldea a village<br>un pueblo a town<br>una ciudad a city</td><td>grande large<br>pequeño/a small</td></tr>
<tr><td colspan="3">en el interior/la costa inland/on the coast</td></tr>
<tr><td>cerca near to</td><td colspan="2">de la sierra the mountains<br>de las montañas the mountains<br>de la costa the coast<br>del mar the sea</td></tr>
</table>

## ¿Con quién vives?

| | |
|---|---|
| Vivo con *I live with* | mi familia *my family*<br>mis padres *my parents*<br>mi madre *my mother*<br>mi padre *my father*<br>mis abuelos *my grandparents* |

## ¿En qué tipo de casa vives?

| | | | |
|---|---|---|---|
| Vivo *I live*<br>Vivimos *We live* | en *in* | una casa (adosada) *a semi-detached house*<br>un apartamento *a flat*<br>un bungalow *a bungalow*<br>un chalet *a chalet*<br>una granja *a farm* | pequeño/a *small*<br>mediano/a *medium-sized*<br>grande *large*<br>cómodo/a *comfortable*<br>típico/a *typical*<br>viejo/a *old*<br>nuevo/a *new*<br>moderno/a *modern* |

## ¿Dónde está tu casa?

<table>
<tr><td rowspan="4">Mi casa está My house is</td><td colspan="3">en el campo in the country</td></tr>
<tr><td rowspan="2">en in</td><td>el centro the centre<br>las afueras the outskirts</td><td>del pueblo of the town<br>de la ciudad of the city</td></tr>
<tr><td>una urbanización a housing estate<br>un barrio a neighbourhood</td><td>moderno/a modern<br>viejo/a old<br>tranquilo/a quiet<br>ruidoso/a noisy<br>industrial industrial<br>comercia commercial</td></tr>
<tr><td></td><td>cerca near</td><td>del ayuntamiento the town hall<br>de la estación the station<br>de la catedral the cathedral</td></tr>
</table>

## ¿Dónde vivo?

**7** Cuando escriben a sus amigos, ¿cómo describen estas personas dónde viven? Con la ayuda de las palabras escribe lo que dice cada persona.

**Miguel** + padres; apartamento pequeño/cómodo; ciudad grande/costa

**Catalina** + madre; casa grande; campo; afueras pueblo pequeño; cerca montañas.

## Mi casa

**8** Empareja las siguientes descripciones con las fotos de la página 22.

*1* Vivimos en el campo en una casa vieja cerca de las montañas.

*2* Vivo con mi familia en un bungalow en las afueras de un pueblo pequeño.

*3* Vivo con mis padres en un chalet moderno cerca del mar.

*4* Vivimos en un apartamento nuevo en el centro de la ciudad cerca de la estación.

**a**

**b**

**c**

**d**

## Preguntas y respuestas

**9** Primero descifra las preguntas. Luego emparéjalas con la respuesta correcta.

¿Dónde vives exactamente?

¿Con quién vives?

¿En qué tipo de casa vives?

¿Dónde está tu casa?

Vivo en una casa adosada nueva.

Mi casa está en un barrio industrial.

Vivo con mi familia.

Vivo en una ciudad grande en el interior.

## ¡Te toca a ti!

**10** Ahora contesta las preguntas en la actividad 9 y escribe unas frases para describir dónde vives tú.

### ¿Qué tiene tu casa?

<table>
<tr><td rowspan="2">Arriba Upstairs<br>Abajo Downstairs</td><td rowspan="2">mi casa tiene my house has</td><td colspan="2">una habitación one room<br>(dos habitaciones, etc.) (two rooms, etc.)<br>una entrada an entrance hall<br>un dormitorio one bedroom<br>(dos dormitorios, etc.) (two bedrooms, etc.)<br>un cuarto de baño a bathroom<br>una cocina a kitchen<br>un salón a lounge<br>un comedor a dining room<br>una cochera a car port</td></tr>
<tr><td>un balcón que da a<br>a balcony overlooking</td><td>la plaza the square<br>la calle the street</td></tr>
</table>

| | | |
|---|---|---|
| Delante de la casa *In front of the house*<br>Detrás de la casa *Behind the house*<br>Al lado de la casa *Next to the house* | hay *there is* | un garaje *a garage*<br>un jardín *a garden*<br>un patio *a patio* |

### ¿Qué casa es?

**11** Mira estos tres planos (a–c). ¿Cuál es la descripción correcta de cada casa?

*a* Arriba mi casa tiene un cuarto de baño, dos dormitorios grandes y un dormitorio pequeño.

*b* Mi apartamento tiene una cocina pequeña, un salón, un comedor y dos dormitorios pequeños. Al lado de la cocina hay una terraza.

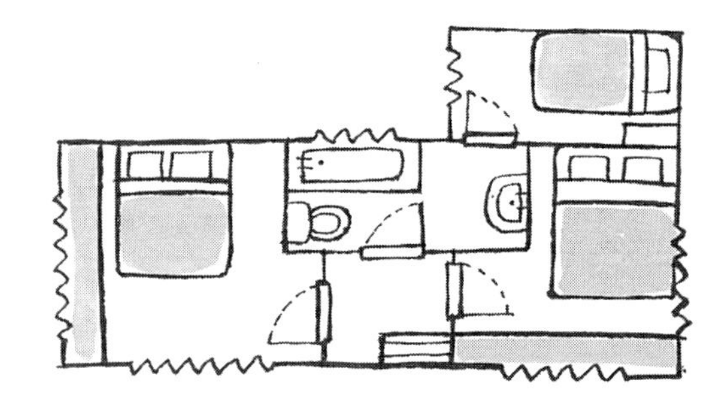

*c* Abajo mi casa tiene una entrada, una cocina grande y un salón-comedor. Detrás de la casa hay un garaje.

## ¡Te toca a ti!

**12** Ahora escribe un párrafo para describir tu casa.

# ¿Cómo es tu pueblo?

## ¿Cuántos habitantes tiene?

| | | |
|---|---|---|
| Mi pueblo tiene *My town has*<br>En mi ciudad hay *In my city there are* | cien *one hundred*<br>(doscientos, etc.) *(two hundred, etc.)*<br>unos mil *about a thousand*<br>(dos mil, etc.) *(two thousand, etc.)*<br>un millón de *a million*<br>(dos millones de, etc.) *(two million, etc.)* | habitantes<br>*inhabitants* |

**13** ¿Y tú?
¿Cuántos habitantes tiene tu pueblo?
¿Cuántos habitantes hay en tu ciudad?

## ¿Qué hay en tu pueblo?

| | | |
|---|---|---|
| En mi pueblo *In my town*<br>En mi ciudad *In my city*<br>En mi barrio *In my neighbourhood*<br>Por aquí *Around here* | hay *there is; there are* | un cine *a cinema*<br>un teatro *a theatre*<br>un club de jóvenes *a youth club*<br>una discoteca *a discotheque*<br>una piscina *a swimming pool*<br>un mercado *a market*<br>una catedral *a cathedral*<br>un castillo *a castle*<br>una iglesia *a church*<br>un parque *a park*<br>una oficina de turismo *a tourist office*<br>(una oficina de) correos *Post Office*<br>un puerto *a port*<br>un museo *a museum*<br>un ayuntamiento *a town hall*<br>un polideportivo *a sports centre*<br>un estadio de fútbol *a football stadium*<br>un restaurante *a restaurant*<br>una cafetería *a café*<br>un bar *a bar*<br>una biblioteca *a library*<br>una estación *a station*<br>un aeropuerto *an airport*<br>un supermercado *a supermarket*<br>un quiosco *a newsagent's*<br>muchas tiendas *many shops* |

# Unas fotos de la ciudad

**14** Mira estas fotos durante un minuto, luego cierra el libro y escribe unas frases para decir lo que hay en la ciudad.

## ¿Está lejos?

| | | |
|---|---|---|
| Está *It's* | a diez minutos *ten minutes*<br>a media hora *half an hour*<br>a cien metros *100 metres*<br>a un kilómetro *one kilometre*<br>a una milla *one mile* | de mi casa *from my house*<br>de la estación *from the station*<br>de aquí *from here*<br>del centro *from the centre* |

| |
|---|
| (No) está lejos *It's (not) far* |

## ¿Está lejos de tu casa?

**15** Escribe unas frases para decir dónde está cada sitio.

**Por ejemplo:**

> El centro de la ciudad no está lejos.
> Está a diez minutos de mi casa.

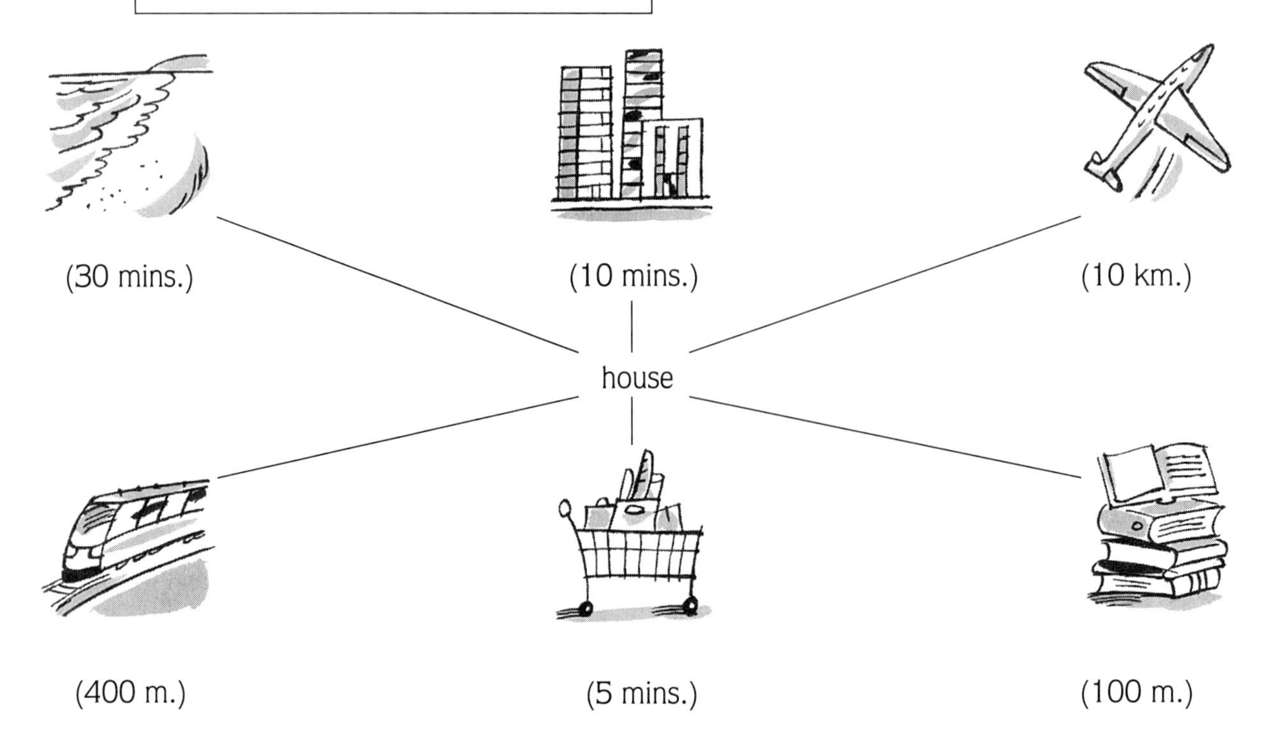

# ¿Qué opinas de tu pueblo?

## Lo positivo y lo negativo de tu pueblo

| Lo bueno de mi pueblo es que . . .<br>*The good thing about my town is that . . .* | Lo malo de mi ciudad es que . . .<br>*The bad thing about my city is that . . .* |
|---|---|
| . . . hay mucho que hacer. *. . . there is a lot to do.* | . . . no hay nada que hacer.<br>*. . . there is nothing to do.* |
| . . . es (muy) tranquilo. *. . . it's (very) quiet.* | . . . es demasiado ruidosa. *. . . it's too noisy.* |
| . . . es bonito. *. . . it's pretty.* | . . . es fea. *. . . it's ugly.* |
| . . . es limpio. *. . . it's clean.* | . . . es sucia. *. . . it's dirty.* |
| . . . es interesante. *. . . it's interesting.* | . . . es aburrida. *. . . it's boring.* |
| . . . es histórico. *. . . it's historical.* | . . . es muy industrial. *. . . it's very industrial.* |
| . . . hay varias salas de fiestas.<br>*. . . there are several night clubs.* | . . . no hay ningún cine.<br>*. . . there's no cinema.* |
| . . . hay varios restaurantes<br>*. . . there are several restaurants* | . . . no hay restaurantes.<br>*. . . there are no restaurants.* |
| . . . hay muchos cafeterías<br>*. . . there are many cafés* | . . . sólo hay una cafetería.<br>*. . . there's only one café.* |

(No) me gusta. *I (don't) like it.*
Está bien. *It's all right.*
No está mal. *It's not bad.*

## En mi opinión

**16** Escribe cinco aspectos positivos y cinco aspectos negativos de tu pueblo o tu ciudad.

**Por ejemplo:**

Lo bueno de mi pueblo es que hay bastante que hacer. Me gusta mucho vivir aquí.

# Una carta de tu amigo español

**17** Rellena los espacios en blanco para completar esta carta. Si necesitas ayuda mira la lista de palabras debajo de la carta.

Gandía 8 de mayo

Hola:

Soy tu nuevo amigo español. Vivo en Valencia, en una ______ que se llama Gandía. Valencia es una región _______ en el este de España. Gandía tiene una _____ muy bonita y no está _____ de la sierra. En verano hace sol y mucho ____, pero en invierno a veces hace bastante frío.

Vivo con mis padres en un _____ moderno. Está a diez minutos de la playa. Abajo tiene un salón, un _____ y una cocina y hay tres dormitorios, un cuarto de baño y un balcón que da a la calle. _____ de mi casa hay un jardín pequeño.

Gandiá tiene unos treinta mil ______. Lo _____ de la ciudad es que hay mucho que hacer para los jóvenes, pero lo malo es que es muy ruidosa sobre todo en verano. En la playa hay varias _______, bares y cafeterías.

Junto con esta carta te mando unas fotos de mi casa y la región. Escríbeme pronto para decirme un poco de dónde vives tú.

Sin más por ahora, recibe un abrazo de

Jorge.

| | | | |
|---|---|---|---|
| habitantes | arriba | ciudad | lejos |
| discotecas | chalet | bueno | playa |
| detrás | pintoresca | comedor | calor |

## Una carta personal

**18** Ahora escribe una carta a un amigo español o a una amiga española para explicarle dónde vives. Describe la región, el clima, tu casa y tu ciudad o pueblo.

Unidad 3

# Los estudios, el trabajo y el futuro

## Te escribe tu amigo español

Badajoz, 19 de abril

Hola Brian

Gracias por tu carta. Me gustan mucho las fotos de tu colegio. ¿Cuántos alumnos tiene y cómo son los profesores?
Yo voy a un colegio mixto. Tiene unos 600 alumnos y 40 profesores. Voy al colegio en autobús porque está a media hora de mi casa. Las clases empiezan a las nueve. Por la mañana hay cuatro clases de una hora. El recreo es a las once, y de 1.30 a 4.00 es la hora de comer. Normalmente como en casa con mis padres. Por la tarde tenemos clases otra vez de cuatro a seis.

Me gusta mucho el colegio. El edificio principal es moderno y hay unas instalaciones muy buenas como la piscina y los laboratorios. También tenemos muchos ordenadores. Estoy fuerte en informática. Me encanta. No me gusta nada la geografía. Es una asignatura difícil y siempre saco malas notas. La profesora es severa y aburrida pero la mayoría de los profes son buenos. ¿Qué asignaturas tienes tú?

Trabajo los sábados. Es un trabajo temporal y no me gusta nada. Soy camarero en una cafetería de la ciudad. Es muy cansado y son muchas horas, pero necesito el dinero.

Al terminar mis estudios aquí pienso ir a la universidad para estudiar biología. Quiero trabajar en un laboratorio. Y tú ¿vas a ir a la universidad o a buscar empleo?

Bueno, nada más por ahora. Tengo que hacer unos deberes. Escríbeme pronto.

Tu amigo

Sebastián

## La carta de Sebastián

**1** Lee la carta de Sebastián otra vez y corrige estas frases.

**Por ejemplo:**

**Voy a un colegio religioso.**

| *Voy a un colegio mixto.* |
|---|

*a* Voy al colegio en coche.
*b* Cada clase dura cincuenta minutos.
*c* El recreo es a las diez y media.
*d* Siempre como en la cantina del colegio.
*e* Estoy fuerte en matemáticas.
*f* Saco buenas notas en geografía.
*g* La profesora de geografía es simpática.
*h* Me gusta trabajar en la cafetería.
*i* Al terminar mis estudios voy a sacar un trabajo.
*j* Quiero ser arquitecto.

# El colegio

## ¿Cómo es tu colegio?

| Mi colegio tiene seiscientos alumnos. *My school has 600 pupils.* | |
|---|---|
| Voy a *I go to* | una guardería infantil *a nursery school*<br>un colegio primario *a primary school*<br>un colegio estatal *a state school*<br>un colegio privado *a private school*<br>un colegio mixto *a mixed school*<br>un instituto para COU *a 6th form college*<br>un colegio religioso *a church school* |

## ¿Cómo vas al colegio?

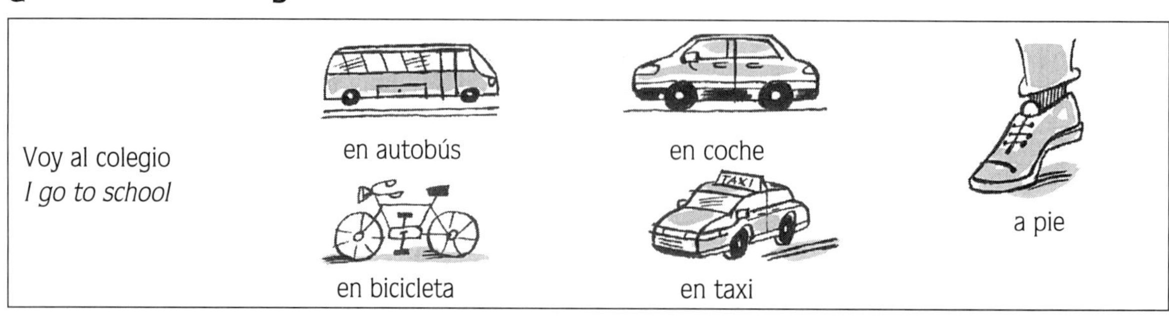

## ¡Te toca a ti!

**2** ¿Y tú? Contesta estas preguntas.

**¿A qué tipo de colegio vas?**

**¿Cómo vas al colegio?**

# Las asignaturas

<table>
<tr>
<td>(No) Me gusta<br>I (don't) like<br><br>Me encanta<br>I love<br><br>Estudio<br>I study<br><br>Prefiero<br>I prefer</td>
<td>el alemán German<br>el español Spanish<br>el francés French<br>el inglés English<br>la biología biology<br>la física physics<br>la química chemistry<br>el dibujo art, drawing<br>el drama drama<br>la educación física physical education<br>la ética P.S.E.<br>la geografía geography<br>la historia history<br>la informática information technology<br>la música music<br>la religión R.E./religion<br>la tecnología technology</td>
<td>es<br>it's</td>
<td rowspan="2">aburrido/a(s) boring<br>complicado/a(s) complicated<br>creativo/a(s) creative<br>diferente(s) different<br>difícil(es) difficult<br>estupendo/a(s) great<br>fácil(es) easy<br>interesante(s) interesting<br>inútil(es) useless<br>nuevo/a(s) new<br>útil(es) useful</td>
</tr>
<tr>
<td>(No) Me gustan<br><br>Me encantan</td>
<td>los idiomas languages<br>las ciencias sciences<br>los deportes sports<br>las matemáticas mathematics<br>los trabajos manuales craft</td>
<td>son<br>they're</td>
</tr>
</table>

| Saco *I get* | buenas notas en . . . *good marks in . . .*<br>malas notas en . . . *bad marks in . . .* |
|---|---|

## Sopa de letras

**3** Descifra estas palabras y escribe las asignaturas.

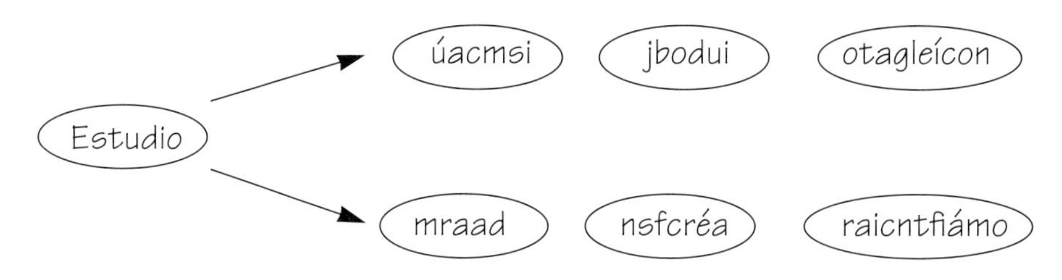


## ¿Qué estudias?

**4** Empareja cada símbolo con la asignatura correcta.

español
dibujo
historia
educación física
informática
química
música
matemáticas

## Mis estudios

**5** Copia esta carta y rellena los espacios en blanco.

San Sebastián 23 de octubre

Querida Jenny

¿Qué tal? Yo bien. Estoy en la clase de inglés y la profesora está ausente.

No estoy muy contenta porque tengo muchos deberes. Soy fuerte en mat________ pero no me gust________. Son difí________. Mañana tengo informática. Me enc________ porque es nue____ y difer________. ¿Qué asignatura te gusta más a ti? Mi asignatura preferida es el dib____. Es muy cr____.

Nada más. Ha llegado la profesora. Abrazos

Merche.

## ¿Te gusta o no?

**6** Escribe una lista de las asignaturas que te gustan y las que no te gustan bajo estas categorías.

**Por ejemplo:**

| Me gusta (n) | No me gusta (n) |
| --- | --- |
| la biología | las matemáticas |

## ¿Qué te parece?

**7** Ahora escribe unas frases y da la razón.

**Por ejemplo:**

Me gusta la biología porque es interesante.
No me gustan las matemáticas porque son difíciles.

# ¿Cómo es la gente en tu colegio?

Mi profesor/a (de español) es simpático/a. *My (Spanish) teacher is nice.*
El director/la directora es estricto/a. *The headteacher is strict.*
La secretaria es muy amable. *The secretary is very friendly.*
Los alumnos son trabajadores. *The pupils are hardworking.*

**Aspectos positivos**

alegre *happy*
amable *friendly*
ambicioso/a *ambitious*
animado/a *lively*
bueno/a *good*
callado/a *quiet*
cariñoso/a *affectionate*
inteligente *intelligent*
listo/a *clever*
deportista *sporty*
divertido/a *funny*
genial *cheerful*
simpático/a *nice*
trabajador *hardworking*

**Aspectos negativos**

antipático/a *unpleasant*
estúpido/a *stupid*
hablador/a *talkative*
horrible *horrible*
impaciente *impatient*
loco/a *mad*
malo/a *bad*
perezoso/a *lazy*
estricto/a *strict*
tonto/a *silly*
torpe *slow/dull*
triste *sad*

## Un poco de humor

**8** Elige la mejor frase para completar este chiste con un poco de humor.

*a* No me gusta el director del colegio. Es muy antipático.

*b* Mi profesora de español es simpática.

*c* Los alumnos del colegio son torpes.

*d* El profesor de ciencias es muy divertido.

## ¡Te toca a ti!

**9** Y ¿cómo es la gente de tu colegio? Completa estas frases.

*a* Mi profesor/a de español es ____________.

*b* El director (La directora) de mi colegio es ____________.

*c* La secretaria es ____________.

*d* Mi mejor amigo es ____________.

*e* Me gusta mucho la profesora de ____________. Es ____________.

*f* No me gusta nada el profesor de ____________. Es ____________.

## Tus profesores

**10** Pon las frases de la próxima página en el orden correcto y escribe un párrafo sobre los profesores del colegio. Empieza el párrafo con esta frase:

*En mi colegio hay unos cuaranta profesores. La mayoría de ellos son simpáticos, . . .*

profesores de matemáticas es muy antipático y da muchos deberes, pero yo no
gustan mucho. Los demás son bastante estrictos. Hay unos profes antipáticos pero
Es amable y muy cariñosa.
Bueno, ¿cómo son tus profes? Un abrazo,
pocos. La profesora de física es horrible. Es alta, fea e impaciente. Uno de los
sobre todo los profes de deportes. Son todos jóvenes y muy animados. Me
En mi colegio hay unos cuarenta profesores. La mayoría de ellos son simpáticos,
tengo clase con él. ¡Qué suerte! La profesora de música es mi profe preferida.

## Las clases

### ¿Cuándo tienes clase?

| | | | |
|---|---|---|---|
| Las clases *Lessons* | empiezan *begin*<br>terminan *finish* | a la una *at one (o'clock)*<br>a las dos *at two (o'clock)*<br>a las tres *at three (o'clock)* | y media<br>*thirty (half past)* |
| Tengo *I have* | dos/tres/cuatro clases *two/three/four classes* | | por la mañana *in the morning*<br>por la tarde *in the afternoon*<br>por día *per day* |
| El recreo es de once a once y media. *Break is from eleven to eleven thirty.*<br>La comida es desde la una y media hasta las cuatro. *Lunch is from one thirty to four o'clock.* | | | |

## ¿Cuánto tiempo duran las clases?

| | | |
|---|---|---|
| Las clases *Lessons* | duran *last* | media hora *half an hour*<br>tres cuartos de hora *three quarters of an hour*<br>una hora *one hour* |

# El horario de Gloria

**11**

| | LUNES | MARTES | MIERCOLES | JUEVES | VIERNES |
|---|---|---|---|---|---|
| 9.00–10.00 | geografía | lengua española | inglés | química | historia |
| 10.00–11.00 | matemáticas | religión | física | geografía | lengua española |
| 11.00–11.30 | recreo | → | → | → | → |
| 11.30–12.30 | lengua española | inglés | matemáticas | lengua española | música |
| 12.30–1.30 | biología | informática | informática | educación física | matemáticas |
| 1.30–4.00 | comida | → | → | → | → |
| 4.00–5.00 | historia | matemáticas | biología | inglés | química |
| 5.00–6.00 | deportes | física | dibujo | física | dibujo |

¿Cómo es tu horario? Escríbelo en español para mandar a tu amigo/a.

## ¿Correcto o falso?

**12** Lee estas frases. Si lo que dice Gloria es correcto copia la frase. Si no, corrígela.

*a* Las clases empiezan a las nueve.
*b* Por la mañana hay tres clases.
*c* El recreo es a las once.
*d* El lunes tengo clase de inglés.
*e* Tengo una clase de dibujo el viernes a las cinco.
*f* La comida es de una a tres.

## Preguntas y respuestas

**13** Empareja las preguntas con las respuestas.

¿Cuántos alumnos tiene tu colegio?

¿A qué hora empiezan las clases?

¿Cuánto tiempo dura cada clase?

¿Qué tipo de colegio es?

¿Cómo son los profesores?

¿Cuántas clases tienes por día?

Seis. Cuatro por la mañana y dos por la tarde.

Es mixto.

La mayoría son simpáticos.

Empiezan a las ocho y media.

Una hora.

Tiene unos setecientos alumnos.

## ¡Te toca a ti!

**14** Ahora contesta tú las mismas preguntas.

## La evaluación de Juan Isasi

**15**

| MATERIAS | EVALUACION | |
|---|---|---|
| | **Calificación** | **Actitud** |
| Lengua española | I | E |
| Matemáticas | N | C |
| Inglés | SF | C |
| Biología | BN | C |
| Religión | I | D |
| Dibujo | SF | B |
| Informática | SB | A |
| Educación física | MD | E |

| CALIFICACION | | |
|---|---|---|
| SB | sobresaliente | *excellent* |
| N | notable | *very good* |
| BN | bien | *good* |
| SF | suficiente | *satisfactory* |
| I | insuficiente | *unsatisfactory* |
| MD | muy deficiente | *very poor* |

| ACTITUD | | |
|---|---|---|
| A | muy buena | *very good* |
| B | buena | *good* |
| C | satisfactorio | *average* |
| D | pasiva | *passive* |
| E | negativa | *negative* |

*Mis padres no están contentos con mi evaluación. Tengo buenas notas en informática y matemáticas pero no soy fuerte ni en lengua española ni en inglés. La religión es muy interesante pero no saco buenas notas. En la clase de biología trabajo bien pero la profesora sólo me ha dado un 'normal'.*

## ¡Te toca a ti!

**16** ¿Cómo es tu evaluación? Escribe un párrafo.

## Mi colegio

**17** Con la ayuda de esta información escribe un párrafo sobre tu colegio.

Voy a un colegio mixto. Hay 700 alumnos y 50 profesores. Voy al colegio en coche. Las clases empiezan a las nueve y cuarto y duran cuarenta minutos. Tenemos recreo a las once menos veinticinco. Dura un cuarto de hora. La comida es a las doce y diez. Me gustan los profesores. La mayoría son bastante estrictos pero cariñosos también. Mi asignatura preferida es el dibujo. La profesora es simpática y muy lista. También me gustan la historia y el inglés pero en inglés siempre saco malas notas. Soy bastante fuerte en música y matemáticas pero el profesor de matemáticas es antipático y muy impaciente. Las clases terminan a las seis de la tarde. Tengo muchos deberes, sobre todo en lengua española y matemáticas.

# El trabajo y las ambiciones

## ¿Qué tipo de trabajo tienes?

| | |
|---|---|
| Trabajo en *I work in* | un supermercado *a supermarket*<br>una gasolinera *a petrol station*<br>una tienda *a shop*<br>una fábrica *a factory*<br>una peluquería *a hairdressers* |
| Es *It's* | un trabajo temporal *a temporary job*<br>un trabajo a tiempo parcia *a part-time job*<br>un trabajo de medio tiempo *a half-time job*<br>un trabajo de tiempo completo *a full-time job* |

| |
|---|
| Hago de canguro *I babysit* |

## ¿Desde cuándo trabajas?

| | | |
|---|---|---|
| Trabajo *I have been working* | desde hace *for* | una semana *one week*<br>un mes *a month* |
| Tengo un trabajo *I've had a job* | desde *since* | la semana pasada *last week*<br>octubre *October* |

## ¿Cómo son las condiciones?

| | | |
|---|---|---|
| Trabajo *I work*<br>Son *It's* | cuatro horas *four hours*<br>ocho horas *eight hours* | por día *per day*<br>por semana *per week* |
| Me pagan *They pay me* | tres/cuatro/cinco, etc. libras *three/four/five, etc. pounds* | por día *per day*<br>por hora *per hour* |
| Me pagan bien/mal *They pay me well/badly* | | |
| Lo encuentro *I find It* | difícil *difficult*<br>aburrido *boring*<br>duro *hard* | |

## Amelia tiene trabajo

**18** Lee la carta y emparaja los trozos de papel.

Gerona 26 de noviembre

¡Hola Patricia!

¿Cómo estás? Yo, muy bien pero estoy cansada. Estoy contenta porque tengo un trabajo temporal desde hace una semana.

Soy cajera en un supermercado. Lo encuentro aburrido. Es un trabajo bastante duro y no muy bien pagado. Me pagan 600 pesetas por hora y trabajo ocho horas por día. Las horas son de siete y media de la mañana a las cuatro y media de la tarde. La comida es a la una y la tomo en la cantina.

También hago de canguro para mis tíos. Me gusta porque hago los deberes y ¡me pagan bien! Con el dinero compro revistas y CDs.

Bueno, es todo. Son las diez de la tarde.

Abrazos

Amelia

## ¿Qué contesta Pablo?

**19**

> Trabajo desde hace dos meses en una tienda. Es a tiempo parcial. Lo encuentro aburrido y no me gusta. Me pagan ocho libras por día. Son diez horas por semana.
>
> Pablo

¿Cuántas horas trabajas?

¿Te gusta el trabajo?

¿Qué tipo de trabajo es?

## ¡Te toca a ti!

**20** Con la ayuda de estos símbolos escribe unas frases.

**Por ejemplo:**

Trabajo en un supermercado. Soy cajero. ¡Trabajo catorce horas por día! Me pagan tres libras por hora.

**a**

**b**

**c**

## ¿Qué piensas hacer?

| | | |
|---|---|---|
| El año que viene *Next year* | pienso *I'm thinking of*<br>quiero *I want to* | seguir con mis estudios<br>*continuing (to continue) with my studies*<br><br>ir a la universidad<br>*going (to go) to the university*<br><br>sacar un trabajo<br>*getting (to get) a job* |
| Al terminar mis estudios<br>*when I finish studying* | quiero ser *I want to be* | profesor/a *a teacher*<br>(NB: ver también 'profesiones' en Unidad 1) |

## ¿Qué quieren hacer estas personas?

**21** Escribe las palabras en el orden correcto para saber la respuesta.

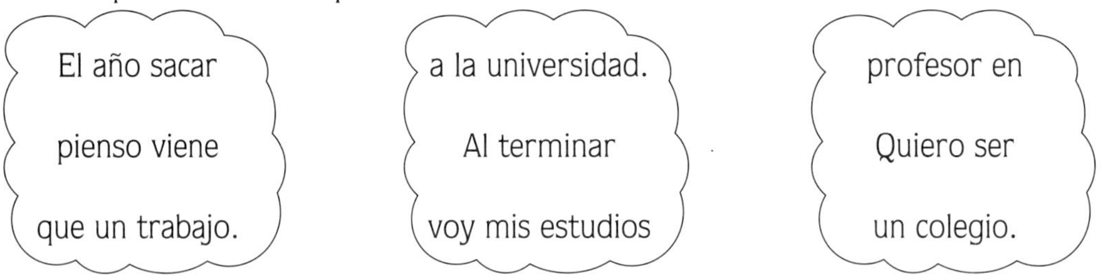


## ¿Qué hace Verónica?

**22** Lee la carta de Verónica y contéstala.

Palma de Mallorca, 2 de Mayo

Querido amigo:

¿Estás bien? Estudio mucho estos días porque tengo exámenes en julio. Lo encuentro muy duro. Trabajo los domingos. Es un trabajo a tiempo parcial y me gusta mucho. Trabajo en la gasolinera de un supermercado. Son seis horas por día y me pagan veinte libras. ¿Tienes un trabajo también?
El año que viene pienso ir a la universidad y estudiar ingeniería. Quiero ser ingeniera como mi padre. Parece un trabajo muy interesante, y ¡paga bien!
Bueno, ¿y tú? Cuéntame lo que piensas hacer el año que viene. ¿Vas a seguir con tus estudios o trabajar?

Hasta pronto. Tu amiga, Verónica xx.

# ¿Colegio o trabajo?

**23** Primero clasifica estas preguntas bajo estas categorías:

| COLEGIO | TRABAJO |
| --- | --- |
| | |

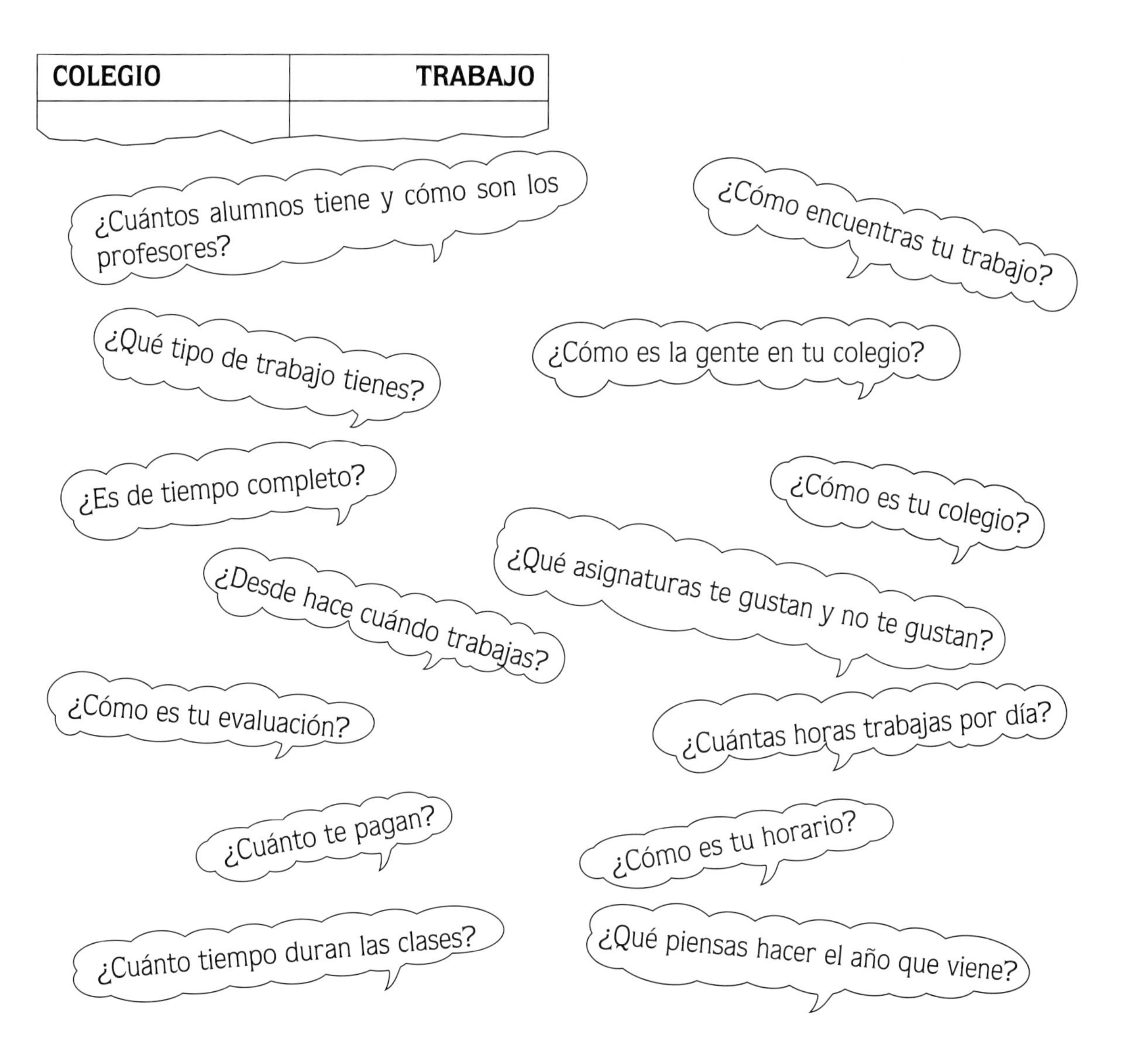


## ¡Te toca a ti!

**24** Ahora contesta las preguntas y usa la información para escribir una carta a tu amigo/a en España.

# La salud

## No me encuentro bien

Cádiz 28 de noviembre

Querida amiga:

He recibido tu carta en la cual me dices que no estás bien. ¿Cómo te encuentras ahora? ¿Estás mejor? Espero que sí.

¿Sabes una cosa? Yo también estoy enfermo. He pasado dos días en cama con gripe. Tengo fiebre y me duele bastante la cabeza. El médico vino a verme ayer y me ha recetado unas pastillas. Dice que tengo que beber mucha agua y descansar. Lo malo es que es muy aburrido porque no puedo salir. Pero lo bueno es que ¡no tengo que volver al instituto hasta la semana que viene!

Bueno, no tengo muchas noticias para contarte. Te escribiré más en mi próxima carta.

Recibe un abrazo de

Sebastián.

## Las frases clave

**1** Primero lee la carta de Sebastián. Luego empareja estos trozos de papel para escribir algunas de las frases clave.

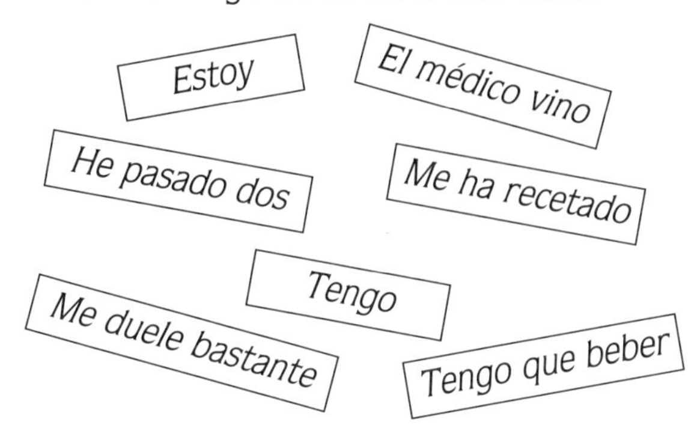


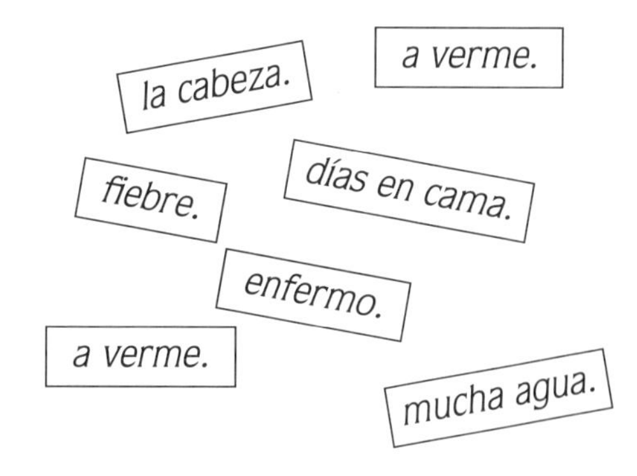


# ¿Como estás?

## ¡Qué te mejores pronto!

| | |
|---|---|
| ¿Cómo *How* | estás? *are you?*<br>te encuentras? *are you feeling?* |
| ¿Qué te pasa? *What's the matter with you?*<br>¡Qué te mejores pronto! *Get well soon!* | |
| Estoy *I am*<br>Me encuentro *I am feeling*<br>Me siento *I feel* | (muy) bien *(very) well*<br>(muy) mal *(very) bad*<br>fatal *terrible*<br>mejor *better*<br>peor *worse* |

## Los síntomas

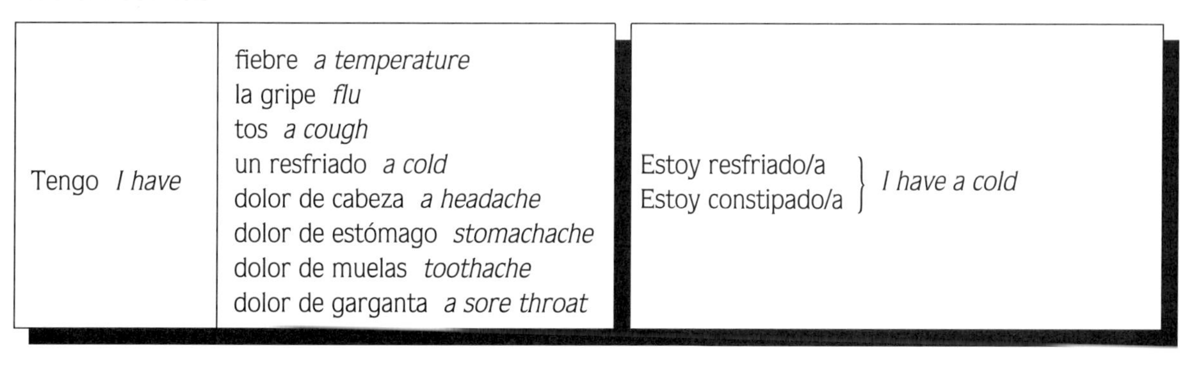

| | | |
|---|---|---|
| Tengo *I have* | fiebre *a temperature*<br>la gripe *flu*<br>tos *a cough*<br>un resfriado *a cold*<br>dolor de cabeza *a headache*<br>dolor de estómago *stomachache*<br>dolor de muelas *toothache*<br>dolor de garganta *a sore throat* | Estoy resfriado/a<br>Estoy constipado/a } *I have a cold* |

| | |
|---|---|
| Estoy *I am* | enfermo/a *ill*<br>mareado/a *dizzy*<br>cansado/a *tired* |
| Tengo *I am* | hambre *hungry*<br>sed *thirsty*<br>frío *cold*<br>calor *hot*<br>sueño *sleepy* |

| | |
|---|---|
| No puedo *I can't* | comer *eat*<br>beber *drink*<br>dormir *sleep*<br>respirar bien *breathe properly*<br>hablar *speak*<br>ir al instituto *go to school*<br>ir al trabajo *go to work* |

## ¿Dónde te duele?

**2** ¿Qué dice cada persona? Primero empareja cada frase con una imagen, luego consulta el diccionario para comprobar tu respuesta.

## Un crucigrama

**3** Con la ayuda de las palabras que faltan en estas notas, completa el crucigrama.

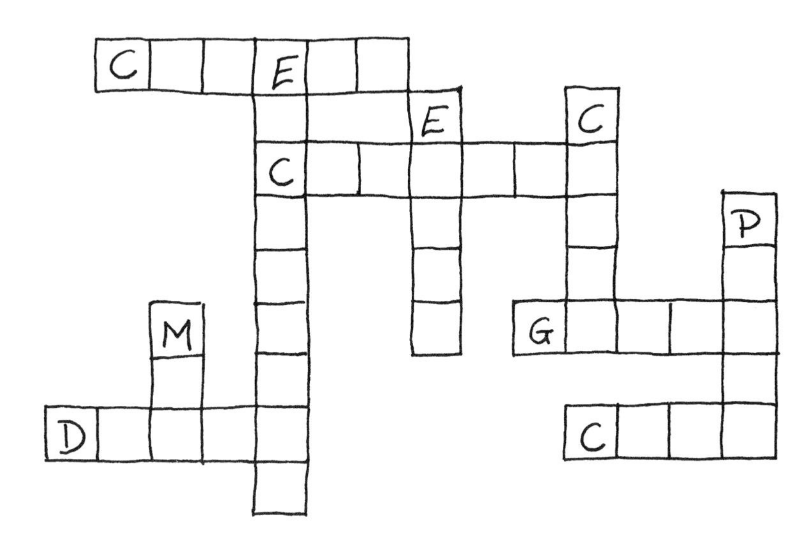


He pasado un día en la cama y ahora me _______ mejor. Todavía tengo _______ de garganta y no puedo _______ . Estoy resfriado y bastante _______ . ¿Y tú? ¿Cómo _______ ahora?

¿ ____ te encuentras? Yo estoy bastante ____ . Tengo la ____ . Me duele mucho la ____ pero no _____ dormir. El médico vino a verme esta mañana y me ha recetado un jarabe.

## ¡Te toca a ti!

**4** Con la ayuda de estos apuntes escribe una nota a tu amigo/a español/a para decirle qué te pasa.

# Heridas y lesiones

| | | |
|---|---|---|
| Me he *I have*<br>Se ha *He/she has* | torcido *sprained*<br>roto *broken*<br>cortado en *cut*<br>quemado *burned*<br>hecho daño en *hurt* | el tobillo *my ankle*<br>el brazo *my arm*<br>la muñeca *my wrist*<br>el dedo *my finger*<br>la pierna *my leg*<br>el pie *my foot*<br>la mano *my hand* |

| | |
|---|---|
| Tengo *I have*<br><br>Tiene *He/she has* | una picadura de insecto *an insect bite/sting*<br>una quemadura de sol *sunburn*<br>una insolación *sunstroke*<br>diarrea *diarrhoea* |

## ¿Qué te has hecho?

**5** Mira los dibujos y escribe lo que te ha pasado.

**Por ejemplo: 1** Me he roto el brazo.

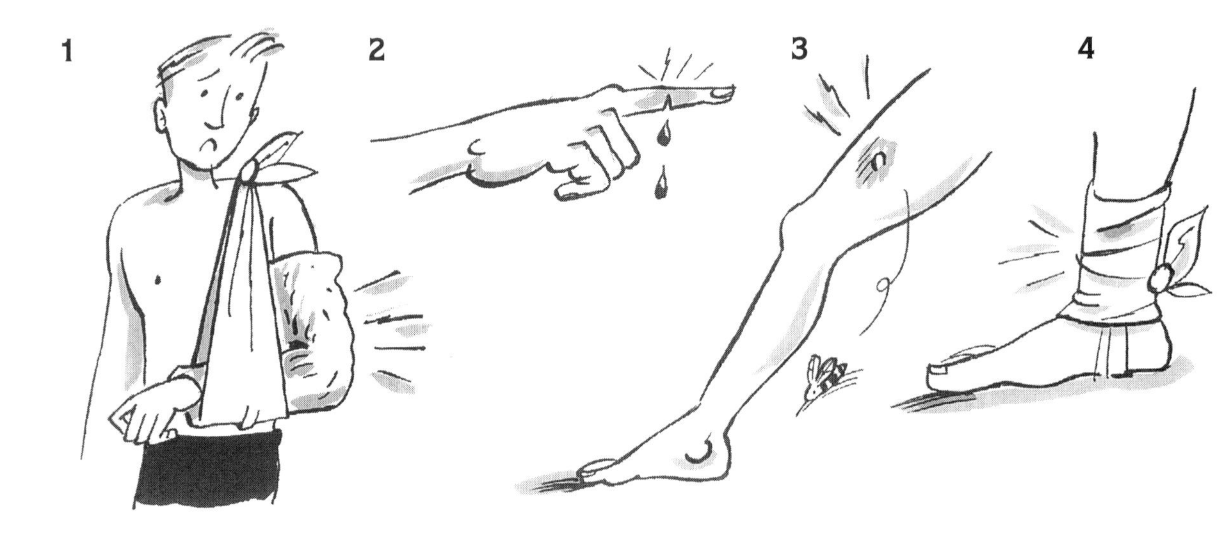

## ¿Qué le ha pasado a tu hermano?

**6** Y ahora escribe lo que le ha pasado a tu hermano o a tu hermana.

**Por ejemplo: 5** Mi hermano se ha quemado la mano.

# Unos remedios

<table>
<tr><td>El médico me ha recetado The doctor has prescribed me<br>El farmacéutico le ha dado The chemist has given him/her</td><td>una inyección an injection<br>unas pastillas some tablets<br>un jarabe some cough mixture<br>unos supositorios some suppositories<br>una crema some cream<br>unas gotas some drops<br>unas aspirinas some aspirin</td></tr>
</table>

<table>
<tr><td>Me han puesto una tirita/un esparadrapo/una venda<br>They have put a plaster/sticking plaster/bandage on it<br>Me han escayolado They have put me in plaster</td></tr>
</table>

<table>
<tr><td rowspan="2">Tengo que<br>I have to<br>Tiene que<br>He/she has to</td><td colspan="2">beber mucha agua drink a lot of water<br>descansar rest<br>ir al médico go to the doctor's<br>pedir hora con el dentista make an appointment with the dentist<br>volver al hospital go back to the hospital</td></tr>
<tr><td>tomar una pastilla take one tablet<br>dos cucharadas de jarabe<br>take two spoonfuls of medicine</td><td>(tres veces) al día (three times) a day<br>después de las comidas after meals<br>antes de las comidas before meals<br>cada tres horas every three hours<br>por la mañana/tarde<br>in the morning/evening<br>por la noche at night</td></tr>
<tr><td colspan="3">Tengo que quedarme en cama I have to stay in bed<br>Tengo que ponerme las gotas I have to put in the drops</td></tr>
</table>

## En la farmacia

**7** Identifica los remedios
**Por ejemplo: 1c**

1

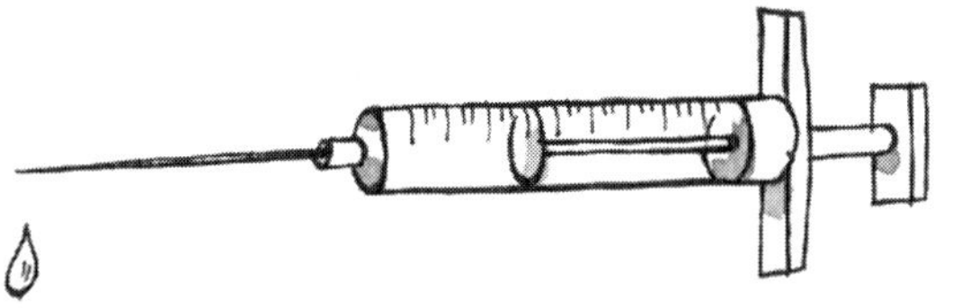

5

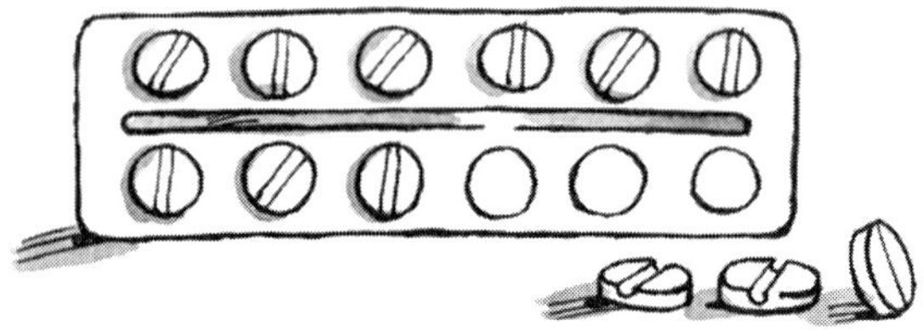

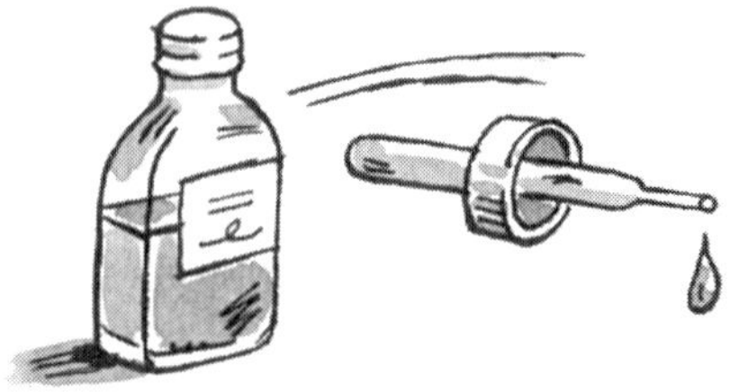

2

6

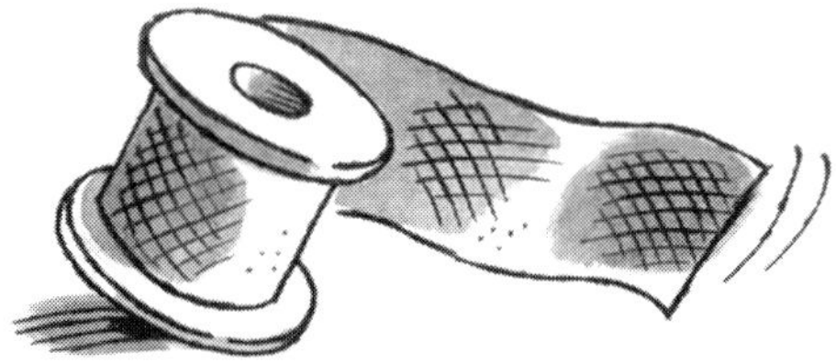

3

7

4

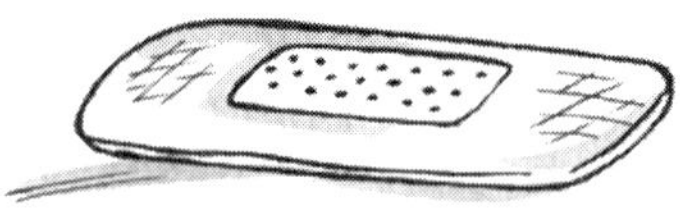

8

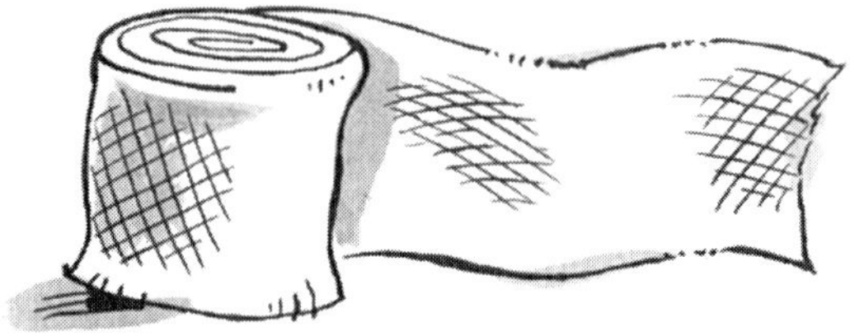

*a* unas aspirinas
*b* una venda
*c* una inyección
*d* una tirita
*e* un jarabe
*f* una crema
*g* un esparadrapo
*h* unas gotas

## ¿Qué tienes que hacer?

**8** Mira estos dibujos. ¿Qué te han recetado? ¿Cuándo tienes que tomarlo?

**Por ejemplo:**

**a**

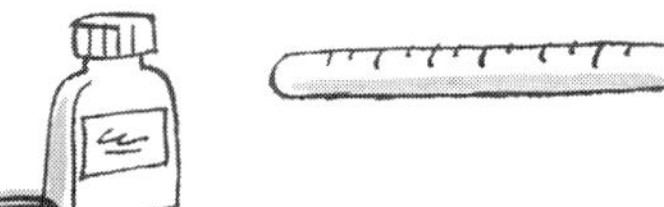

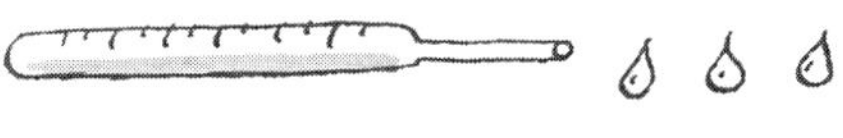

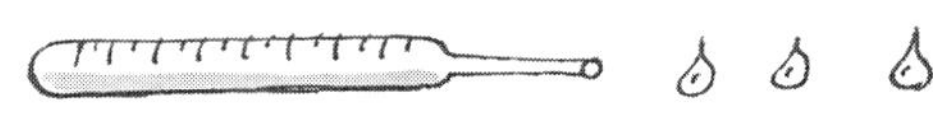

El médico me ha recetado unas gotas. Tengo que ponerme tres gotas dos veces al día.

**b**

**c**

**d**

## ¿Qué pasa?

**9** Lee estas postales y explica a un compañero/a que no habla español qué le pasa a cada persona.

**a**

Hola:
Estoy aquí de vacaciones y hace muy buen tiempo.
Pero ¿sabes lo que me pasa? ¡Tengo una quemadura de sol!

El médico me ha recetado unas pastillas y tengo que tomar una pastilla antes de comer...

**b**

Hola:

Hemos llegado a nuestro apartamento de la playa hoy pero no hemos tenido mucha suerte. Mi hermano se ha torcido el tobillo y tiene que ir mañana al hospital...

**c**

Hola:

Estamos aquí de vacaciones pero la verdad es que no lo estamos pasando muy bien.

Mi padre tiene diarrea y el farmacéutico le ha dado un jarabe. Tiene que tomar dos cucharadas cada tres horas. Yo tengo una picadura de insecto y el médico me ha recetado una crema...

## ¡Te toca a ti!

**10** Estás de vacaciones pero hay problemas de salud. Mira estos dibujos y escribe una tarjeta a tu amigo/a en España para explicarle lo que pasa.

**11** No te encuentras bien y no puedes ir al instituto. Con la ayuda de las respuestas a estas preguntas escribe una carta a tu amigo/a español/a.

¿Cuándo vino el médico a verte?
¿Qué te ha recetado el médico?
¿Cuántos días has pasado en la cama?
¿Cuándo puedes volver al instituto?
¿Qué tienes?
¿Qué te pasa?
¿Estás contento/a?
¿Dónde te duele?
¿Qué tienes que hacer?

# Hacia una vida más sana

Una revista española publica las opiniones de sus jóvenes lectores sobre cómo llevar una vida sana. He aquí cinco extractos de las cartas que recibe. Leelos con la ayuda de un diccionario. ¿Estás de acuerdo con las opiniones? Si no, ¿por qué?

**a**

Para mantenerme en forma sigo un régimen equilibrado. No soy vegetariana, pero procuro comer mucha verdura y ensalada, y no como grasa. No fumo nunca y no bebo mucho alcohol, sólo un vaso de vino de vez en cuando con la cena.

María.

**b**

Creo que es muy importante practicar un deporte o hacer ejercicio. Antes yo no hacía nada. Empecé a engordar y nunca tenía energía. Ahora voy a una clase de gimnasia rítmica en el polideportivo dos veces a la semana. He adelgazado tres kilos y me encuentro mucho mejor.

Antonio.

**c**

Para mí es importante dormir bien. Entre semana necesito dormir ocho horas, si no al día siguiente siempre tengo sueño. Normalmente me acuesto a las diez y media y suelo tomar un vaso de leche caliente antes de ir a la cama.

Sara.

**d**

Muchos de mis amigos fuman, pero a mí no me gusta nada. En mi opinión el fumar es muy malo para la salud. Dicen que el tabaco es la causa de muchas enfermedades como el cáncer por ejemplo. Si voy a algún sitio donde la gente está fumando, después me pican los ojos y la garganta, y la ropa siempre huele a humo. ¡Qué asco!

Jesús.

**e**

> Yo creo que hoy en día la droga es un problema grave entre los jóvenes. Tengo algunos amigos que dicen que la droga blanda como la marijuana no perjudica, pero yo no estoy de acuerdo. En mi opinión cualquier droga es peligrosa y podría resultar en la adicción. Yo nunca tomaría drogas.
>
> Cristina.

## ¿Quién lo dice?

**12** Primero descifra estas frases. Luego sin volver a leer las cartas anteriores intenta recordar quién las dijo.

*a* equilibrado un Sigo régimen.
*b* es muchas tabaco causa El enfermedades de la.
*c* tres He kilos adelgazado.
*d* peligrosa y adicción resultar Cualquier la es podría droga en.
*e* alcohol nunca no No mucho y bebo fumo.
*f* ocho Entre dormir horas semana necesito.
*g* deporte es Creo practicar muy que importante un.
*h* para es salud Fumar muy la malo.
*i* problema La jóvenes un entre es grave los droga.
*j* a media me Normalmente y acuesto diez las.

María

Antonio

Sara

Jesús

Cristina

## Cómo mantenerse en forma

| | |
|---|---|
| Es (muy) importante<br>*It's (very) important* | seguir un régimen equilibrado. *to follow a balanced diet.*<br>comer mucha verdura y ensalada. *to eat a lot of vegetables and salad.*<br>practicar un deporte. *to play a sport.*<br>hacer ejercicio. *to do exercise.*<br>dormir bien. *to sleep well.* |

## ¿Qué haces tú?

| |
|---|
| (No) bebo alcohol *I (don't) drink alcohol*<br>(No) como grasa *I (don't) eat fat*<br>(No) fumo *I (don't) smoke*<br>(No) tomo drogas *I (don't) take drugs*<br>(No) hago ejercicio *I (don't) do exercise*<br>(No) duermo bien *I (don't) sleep well* |

## ¿Estás en forma o no?

| | |
|---|---|
| He engordado *I have put on*<br>He adelgazado *I have lost* | un kilo/dos kilos, etc. *one kilo/two kilos, etc.* |
| (No) tengo mucha energía. *I (don't) have a lot of energy.*<br>(No) me encuentro en forma. *I (don't) feel fit.* | |

# Los tres amigos

**13** Alejandro, Manuela y Ramón son tres amigos, pero cada uno lleva un régimen de vida muy distinta. Alejandro es muy deportista y se cuida mucho y Manuela quiere llevar una vida más sana. Pero Ramón es perezoso y tiene muchos vicios. Lee las siguientes declaraciones y decide quién dice cada frase.

**Sigue el ejemplo que te damos**

| Alejandro | Manuela | Ramón |
|---|---|---|
| Siempre me acuesto temprano. | | |

Siempre me acuesto temprano.

Procuro acostarme antes de medianoche.

Salgo mucho por la noche y a veces no vuelvo a casa hasta las cuatro de la madrugada.

Para mí es muy importante comer bien. También tomo vitaminas. Estoy en plena forma.

Estoy al régimen. Como mucho mejor ahora, y he adelgazado dos kilos en una semana.

Como lo que quiero. Me encanta la carne, pero no me gusta nada ni la fruta ni la verdura.

No fumo nunca.

Quiero dejar de fumar.

Fumo un paquete de cigarillos cada día.

No bebo alcohól, sólo agua mineral.

Bebo un vaso de vino de vez en cuando con la comida.

Si salgo por la noche con mis amigos suelo tomar seis o siete cervezas.

Yo no he tomado drogas, ni las tomaría nunca.

Conozco a varios jóvenes que toman droga, pero yo no pienso hacerlo.

He fumado marijuana con unos amigos. En mi opinión sólo es como el tabaco.

Soy muy aficionado al deporte. Voy al polideportivo todas las tardes.

He empezado a hacer ejercicio. Voy a la piscina todos los fines de semana.

No practico ningún deporte. En mi opinión es una pérdida de tiempo. Prefiero salir a una sala de fiestas con mis amigos.

## ¡Te toca a ti!

**14** Una revista juvenil en España quiere saber cómo viven los jóvenes europeos. Escribe una carta a esa revista para explicar el tipo de vida que llevas tú. ¡Ojo! ¡Hay que decir la verdad!

# Unas noticias tristes

Recibes esta carta de España con unas noticias tristes. ¿Qué ha pasado?

Cuenca, 17 de diciembre

Querido amigo,

Siento no haberte escrito antes, pero hasta ahora no tenía ánimos.

Tengo unas noticias muy tristes que darte. Mi abuelo ha muerto. Tuvo un infarto la semana pasada y le llevaron al hospital en seguida. Estuvo en intensivos toda la noche, pero no pudieron hacer nada por él y murió al día siguiente. El entierro fue el viernes. Quería mucho a mi abuelo y me ha afectado bastante. Le voy a echar de menos. Como es lógico, mi pobre abuela también tiene una fuerte depresión y el médico ha tenido que recetarle unas pastillas.

Sin embargo, una gran ayuda para toda la familia ha sido todas las notas del pésame que hemos recibido de todas las personas que lo conocían.

Por favor, explícales a tus padres lo que ha pasado, y dales recuerdos de mi parte.

Hasta luego

Marta

**DON ABELARDO MATEO CAMPO**

FALLECIO EN CUENCA
**EL DIA 13 DE DICIEMBRE**

**a los setenta y cinco años de edad**

**D. E. P.**

**Su esposa María del Carmen; hijos Juan Carlos y Jaime; hijas políticas Susana y Mercedes; nietos Marta y Ricardo; sobrinos, primos y demás familia.**

**El entierro se celebró el viernes 14 de diciembre en la intimidad de todos sus familiares.**

## Es muy grave

| | | | |
|---|---|---|---|
| Mi *My* | abuelo *grandfather*<br>abuela *grandmother*<br>padre *father*<br>madre *mother*<br>hermano *brother*<br>hermana *sister*<br>amigo/a *friend*<br>tío *uncle*<br>tía *aunt* | ha tenido *has had* | un infarto *a heart attack*<br>un accidente de coche *a car accident* |
| | | ha muerto *has died* | de cáncer *from cancer*<br>de un ataque cardíaco *from a heart attack*<br>en un accidente de tráfico *in a traffic accident* |

## ¿Cómo te ha afectado a ti y a los demás?

Me ha afectado bastante. *It has upset me quite a lot.*
Estoy muy triste. *I am very sad.*
Voy a echarle de menos. *I'm going to miss him/her.*
Le ha afectado mucho a toda la familia. *The whole family has taken it very hard.*
Estamos todos muy deprimidos. *We are all very depressed .*

# Una nota de pésame

Cuando una persona muere en España es la costumbre darle el pésame a su familia, o por carta o personalmente. He aquí una de las cartas que Marta recibió de un amigo cuando murió su abuelo. ¿Qué dice Guillermo?

Madrid 20 de diciembre

Querida Marta:

He recibido hoy las tristes noticias de la muerte de tu abuelo. Lo siento muchísimo. Con esta nota quiero expresarte mi más sincero pésame por lo que supone la pérdida de una persona tan querida. Tu abuelo era una persona estupenda y espero que el recuerdo de los tiempos felices que has pasado con él te ayudará a superar los momentos más difíciles.

Estoy pensando en ti y en toda tu familia. Si necesitas alguna cosa no dudes en llamarme.

Un abrazo muy fuerte para todos,

## Como expresar los sentimientos

Hoy he recibido las tristes noticias. *Today I have received your sad news.*
Lo siento muchísimo *I'm so very sorry.*
Quiero expresar mi más sincero pésame. *I wish to extend to you my sincere condolences.*
Estoy pensando en ti. *I am thinking about you.*
Si necesitas alguna cosa no dudes en llamarme. *If you need anything at all don't hesitate to call me.*

## ¡Te toca a ti!

**15** *a* Con la ayuda de los ejemplos escribe una carta para dar unas noticias tristes acerca de alguien que conoces.

*b* Recibes una carta de tu amigo en España para decirte que su tío ha muerto en un accidente de tráfico. Escríbele una breve nota de pésame. Conociste a su tío cuando estuviste en casa de tu amigo el verano pasado y te pareció una persona estupenda.

# El ocio

## ¿Qué haces en tu tiempo libre?

Lee esta carta que has recibido de un amigo español en la cual te cuenta lo que hace en su tiempo libre. En tu opinión ¿qué tipo de persona es Carlos? ¿Por qué?

Gijón, 16 de octubre

Querido amigo:

Hola. ¿Cómo estás? Yo estoy bastante bien y mi familia también. En tu última carta me preguntaste qué hago en mi tiempo libre. Pues te voy a contar como paso la semana.

El fin de semana no tengo que ir al instituto y, por lo tanto, puedo disfrutar más de mi tiempo. Me gusta mucho hacer deporte. Soy socio de un polideportivo cerca de mi casa y los sábados por la mañana voy allí con un grupo de amigos. A veces jugamos al fútbol sala o al balonmano. También tiene una piscina muy buena y antes de volver a casa nadamos un poco. ¿Te gustan a ti los deportes?

Tengo bastantes videojuegos y el sábado por la tarde suelo jugar con el ordenador o escuchar música. ¿Qué tipo de música prefieres tú?

En mi ciudad hay muchas discotecas y salas de fiestas y nunca es difícil encontrar adonde ir el sábado o el domingo por la noche. ¿Sales mucho con los amigos?

Entre semana salgo menos porque este año estoy preparando mis exámenes. Ahora bien, tengo varios pasatiempos y después de terminar mis deberes puedo dedicarme a ellos. En verano voy a pescar en un río no muy lejos de aquí. En invierno, sin embargo, cuando hace mal tiempo prefiero quedarme en casa y jugar al ajedrez con mi padre. También colecciono sellos y tengo una buena colección. En tu próxima carta ¿puedes mandarme algunos de tu país?

Bueno, sin más por ahora, me despido con un abrazo muy fuerte,

Tu amigo,

Carlos

## ¿Dentro o fuera?

**1** Lee la carta de Carlos otra vez. Bajo estas tres categorías haz una lista de todas las actividades que menciona.

**Por ejemplo:**

| Dentro | Fuera | Dentro o fuera |
|---|---|---|
| *Jugamos al fútbol sala* | | |

# Las actividades

## ¿Qué haces?

<table>
<tr><td rowspan="2">(No) me gusta I (don't) like<br><br>Prefiero I prefer<br><br>Me encanta I love</td><td colspan="2">hacer deporte to do sport<br>jugar al fútbol (sala) to play (5-a-side) football<br>nadar to swim<br>jugar con el ordenador to play on the computer<br>coleccionar sellos to collect stamps<br>salir con mis amigos to go out with my friends<br>quedarme en casa to stay at home</td></tr>
<tr><td>tocar to play</td><td>la guitarra the guitar<br>la trompeta the trumpet<br>el clarinete the clarinet</td></tr>
</table>

Mi deporte preferido es el hockey *My favourite sport is hockey*

Mi pasatiempo favorito es pintar *My favourite hobby is painting*

| | |
|---|---|
| Suelo *I usually*<br>Solemos *We usually* | escuchar música *listen to music*<br>ver la tele *watch television*<br>jugar al ajedrez *play chess*<br>ir de paseo *go for a walk*<br>leer *read* |
| Voy a *I go* | pesca *fishing*<br>esquiar *skiing* |
| Juego *I play*<br>Jugamos *We play* | al balonmano *handball*<br>al balonvolea *volleyball*<br>al baloncesto *basketball*<br>en un equipo *in a team*<br>al billar *billiards*<br>al billar americano *pool*<br>al snooker *snooker* |
| Practico *I do*<br>Practicamos *We do* | el atletismo *athletics*<br>el footing *jogging*<br>el boxeo *boxing* |

## ¿Cuándo?

los sábados (los domingos), etc. *on Saturdays (on Sundays), etc.*
todas las semanas *every week*
el fin de semana *at the weekend*
entre semana *during the week*
por la mañana *in the morning*
por la tarde *in the afternoon/evening*
por la noche *at night*

## ¿Con quién?

| | |
|---|---|
| con *with* | mis amigos *my friends* |
| | mi hermano(a) *my brother (sister)* |
| | mi padre *my father* |
| | mi madre *my mother* |

Los sábados juego al baloncesto con mis amigos

## ¿Deporte o pasatiempo?

**2** Podrías usar esta actividad para ayudarte a memorizar el vocabulario para el tema del ocio. Primero escribe la palabra **deporte** en un papel. Escribe alrededor de esta palabra, en forma de estrella, otras palabras o frases relacionadas con esa palabra. Luego haz lo mismo con la palabra central **pasatiempo**.

**Por ejemplo:**

me gusta nadar — deporte

solemos jugar al ajedrez — pasatiempo

Después de completar cada 'estrella' estúdiala durante dos minutos, luego tápala e intenta reproducirla sin mirar la original.

## ¿Cuáles son tus pasatiempos?

| | |
|---|---|
| Mis pasatiempos son *My hobbies are*<br><br>Mi pasatiempo preferido es *My favourite hobby is* | la pesca *fishing*<br>la costura *sewing*<br>el bricolaje *D.I.Y.*<br>la lectura *reading*<br>dibujar y pintar *drawing and painting* |

## ¿Qué te gustaría hacer?

Me gustaría saber tocar un instrumento musical. *I'd like to be able to play a musical instrument.*

# Algunas actividades

**3** Con algunas actividades puedes decir lo que te gusta o lo que te gusta hacer.

**Por ejemplo:**

Me gusta **el dibujo**. *I like **drawing**.*
Me gusta **dibujar** *I like **to draw.***

Empareja estas palabras y cópialas en dos categorías como en el ejemplo. Si no sabes lo que significa una palabra búscala en el diccionario.

| Nombre | Verbo |
|---|---|
| *el dibujo* | *dibujar* |

el dibujo
la pintura
la natación
bailar
leer
dibujar
la costura
coser
nadar
la lectura
pescar
el baile
la pesca
pintar

## ¡Te toca a ti!

**4** Ahora contesta estas preguntas.

- ¿Cuáles son tus pasatiempos favoritos?
- ¿Qué te gusta hacer?
- ¿Qué te gustaría hacer?

## ¿Qué haces en tu tiempo libre?

**5** Con la ayuda de los cuadros en las páginas 63–65 escribe seis frases para decir qué haces, con quién y cuándo.

**Por ejemplo:**

| Los sábados suelo jugar con el ordenador con mi hermano. |
|---|

## ¿Qué te gusta hacer?

**6** Empareja las frases con los dibujos. Puedes usar un diccionario si quieres.

*a* En casa tengo muchos videojuegos.
*b* Todas las semanas monto a caballo.
*c* Me encanta jugar al billar con mi padre.
*d* Todas las semanas juego a la lotería.
*e* Prefiero quedarme en casa y leer.

## ¡Te toca a ti!

**7** Copia estas frases y complétalas tú con tus propios intereses.

*a* Me gusta mucho . . .
*b* No me gusta . . .
*c* Me gusta . . . pero prefiero . . .
*d* El fin de semana suelo . . .
*e* Me encanta . . .
*f* Entre semana . . .

## Una carta

**8** Escribe una carta a tu amigo/a español/a.

- Pregúntale cómo está.
- Dile qué haces el fin de semana.
- Explícale qué pasatiempos tienes.
- Menciona cuál es tu deporte preferido y tu pasatiempo favorito.

# ¿Adónde vamos?

## Unas invitaciónes para salir

**9** Lee estas notas que un joven español manda a varios amigos por correo electrónico. ¿Qué propone hacer?

**a**

¿Qué quieres hacer esta noche? ¿Te apetece salir? En el cine Rialto ponen una película muy buena. Empieza a las ocho. Contéstame pronto por favor.

**b**

Hay una exposición de pintores modernos en la galería de arte. ¿Te interesa ir? Si quieres, nos vemos delante de la galería a las seis. Avísame.

**c**

Acaban de abrir una nueva discoteca en el centro. Si estás libre este fin de semana ¿por qué no vamos allí? Contéstame si estás de acuerdo y quedamos en vernos en algún sitio.

**d**

¿Quieres ir a los toros este fin de semana? Tengo dos entradas para la corrida del domingo. Mándame un mensaje para decirme qué piensas de la idea.

# ¿Puedes ir o no?

**10** Ahora lee estas respuestas. ¿Quién acepta y quién rechaza la invitación?

**a**

Pues sí, con mucho gusto. Esta noche estoy libre y me apetece salir. Podríamos vernos delante del cine pero ¿a qué hora? Teresa..

**b**

De acuerdo. Me parece una idea muy buena. Me gusta mucho la pintura. Hasta las seis entonces. María.

**c**

Lo siento, pero no me apetece demasiado. Para decirte la verdad no me interesan mucho las discotecas. Además, este fin de semana tengo otro compromiso. Leonardo.

**d**

¡Qué lástima! Me encantan los toros, pero no puedo ir. Ya tengo otra invitación para el domingo por la tarde. En otra ocasión quizás. Simón.

## Invitar a alguien

¿Qué quieres hacer? *What do you want to do?*
¿Te apetece salir? *Do you fancy going out?*
¿Por qué no vamos allí? *Why don't we go there?*

| | |
|---|---|
| ¿Te interesa ir *Are you interested in going*<br>¿Quieres ir *Do you want to go* | a una corrida? *to a bullfight?*<br>a la ópera? *to the opera?*<br>al cine/teatro? *to the cinema/theatre?*<br>al partido? *to the match?* |

## Aceptar una invitación

De acuerdo. *All right.*
Me parece una idea muy buena. *It seems like a very good idea to me.*
Con mucho gusto. *I'd be delighted.*

## Rechazar una invitación con cortesía

¡Qué lástima! *What a pity!*
Lo siento, no estoy libre *I'm sorry, I'm not free*
No puedo (ir) *I can't (go)*
Ya tengo otra invitación *I've already got another invitation*
En otra ocasión quizás *Perhaps another time*
No me apetece demasiado *I don't really fancy it*
Tengo otro compromiso *I have made other arrangements*
No tengo (bastante) dinero *I don't have any (enough) money*

## ¡Te toca a ti!

**11** *a* Escribe una nota a un amigo/a española invitándole a salir este fin de semana. Explícale adónde piensas ir y cuándo y sugiere un arreglo para veros.

*b* Tu amigo español quiere ir a un partido de fútbol este fin de semana. Te gustaría ir pero tienes muchos deberes que hacer y el domingo sales a comer con la familia. Decide lo que vas a hacer y escribe una respuesta a tu amigo.

## Una fiesta de cumpleaños

**12** Estás de vacaciones en España cuando recibes una tarjeta de invitación a la fiesta de cumpleaños de una amiga española. Explica los detalles de la fiesta a tus padres que no hablan español.

¡Hola!

La semana que viene es mi cumpleaños. Cumplo dieciocho años y voy a organizar una fiesta para celebrarlo. ¿Quieres venir? Será el sábado 4 de mayo en la sala de fiestas Iglú. Empezará a las siete de la tarde y creo que terminará a eso de las once. Contéstame lo antes posible para decirme si puedes venir, por favor.

Tu amiga, Susi

¡Ven a la fiesta!

¿Quién?: Susi

¿Dónde?: Sala de fiestas Iglú

¿Ocasión?: 18 cumpleaños

¿Cuándo?: sábado 4 de mayo

De: 19h30

a: 23h00

## La tarjeta de invitación

**13** Lee esta nota y rellena los detalles en la tarjeta de invitación de la página siguiente.

¡Hola!

El 15 de julio es el aniversario de boda de mis padres y mi hermano y yo hemos organizado una fiesta para ellos. Será el domingo 18 de julio en el restaurante Comic.

¿Puedes venir? Empezará a las dos de la tarde y terminará sobre las seis. Por favor, contéstame pronto para decirme si te será posible venir.

Tu amigo,

Ernesto

¡Ven a la fiesta!

¿Quién?: ..................... ¿Dónde?: .....................

¿Ocasión?: ..................... ¿Cuándo?: .....................

De: ............ a: ............

## ¡Te toca a ti!

**14** Escribe una nota a tu amigo/a español/a para invitarle a tu fiesta de cumpleaños. Diseña una tarjeta para mandar junto con la nota.

# Las entradas

### Hay que reservar

A veces es necesario reservar para estar seguro de tener entradas para el cine, el teatro o un concierto, por ejemplo. Lee esta carta.

Estimados señores:

Quisiera reservar dos entradas para el concierto de Joaquín Seco para el 23 de octubre a las ocho de la tarde. Adjunto un cheque para diez mil pesetas para cubrir el importe de las entradas mas el suplemento. También incluyo un sobre franqueado con mi dirección para su respuesta.

Le saluda atentamente,

Martina Lloret.

## ¿Qué quieres?

<table>
<tr>
<td rowspan="2">Quisiera reservar I'd like to book</td>
<td>una entrada para one ticket for</td>
<td rowspan="2">el concierto the concert<br>la película the film<br>el ballet the ballet<br>la ópera the opera<br>la obra de teatro the play<br>el partido entre . . . y . . .<br>the match between . . . and . . .</td>
</tr>
<tr>
<td>dos entradas para two tickets for</td>
</tr>
<tr>
<td>Adjunto I attach<br>Incluyo I enclose</td>
<td colspan="2">un cheque a cheque<br>un sobre franqueado con mi dirección<br>a stamped addressed envelope<br>el suplemento the additional charge</td>
</tr>
</table>

## ¡Te toca a ti!

**15** Con la ayuda de esta información escribe una carta para pedir las entradas que quieres.

**a** **b**

# Clubs y sociedades

## Soy socio de un club

**16** Lee esta carta y contesta las preguntas.

Acaban de abrir un nuevo club de jóvenes en el centro de la ciudad. Está muy bien ¿sabes? Hay que abonarse al club pero no es caro hacerse socio. Sólo cuesta cinco mil pesetas al año. Entre semana está abierto desde las siete de la tarde hasta las diez de la noche, pero sábado y domingo está abierto todo el diá desde las nueve de la mañana. Hay muchas actividades diferentes como el billar americano, los dardos y el tenis de mesa por ejemplo, además de otros deportes. Yo juego en el equipo de badminton. También organizan charlas y reuniones sobre temas de interés tópico. El otro día asistí a una charla excelente sobre los peligros del tabaco. ¿Eres tú socio de algun club? ¿Hay muchos clubs para los jóvenes donde vives tú? ¿Cómo son los clubs en tu ciudad? Cuéntamelo en tu próxima carta.
Un saludo,

Jaime.

*a* ¿Dónde está el nuevo club?

*b* ¿Cuánto cuesta hacerse socio?

*c* Entre semana ¿cuándo está abierto el club?

*d* ¿Qué actividades hay en el club?

*e* ¿En qué equipo juega Jaime?

*f* ¿A qué charla asistió Jaime el otro día?

## ¿Qué hay?

| | |
|---|---|
| Acaban de abrir *They have just opened* | una discoteca *a discotheque* |
| Han abierto *They have opened* | un club de jóvenes *a youth club* |
| Hay *There is* | una sala de fiestas *a night club* |
| Soy socio de *I am a member of* | una sala de billar *a snooker hall* |
| Me he hecho socio de *I have become a member of* | |

| | | |
|---|---|---|
| Hacerse socio cuesta<br>*To become a member costs* | mil (dos mil, etc.) pesetas<br>*1,000 (2,000, etc.) pesetas*<br>diez libras *£10* | a la semana *per week*<br>al mes *per month*<br>al año *per year* |

| | |
|---|---|
| Está abierto *It's open* | de nueve a dos *from 9 until 2.*<br>desde las siete de la tarde hasta las diez de la noche<br>*from 7 o'clock in the evening to 10 o'clock at night* |

| | |
|---|---|
| Hay muchas actividades diferentes como<br>*There are many different activities such as* | el billar americano *pool*<br>el billar inglés *snooker*<br>los dardos *darts*<br>el tenis de mesa *table tennis* |

| | |
|---|---|
| Organizan *They organise* | charlas *talks*<br>reuniones *meetings*<br>conferencias *lectures*<br>conciertos *concerts*<br>visitas *visits* |

Acaban de abrir un nuevo club de jóvenes en el centro de la ciudad

## Este es mi club

**17** Con la ayuda de estas imágenes completa las frases. Luego diseña un póster para anunciar el club.

*a* Han abierto  en mi pueblo.

*b* Me he hecho socio de 

*c* Hacerse socio cuesta 

*d* Está abierto 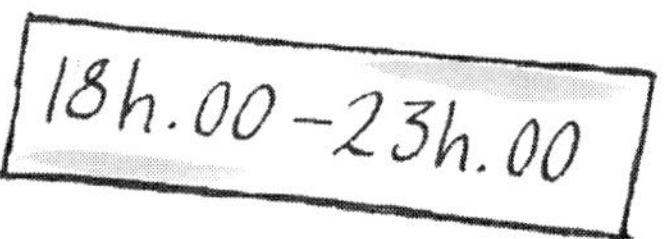


*e* Hay varias actividades diferentes como por ejemplo.

*f* También organizan muchas 

## ¡Te toca a ti!

**18** *a* Contesta las preguntas que hace Jaime en su carta.

- *¿Eres tú socio de algún club?*
- *¿Hay muchos clubs para los jóvenes donde vives tú?*
- *¿Cómo son los clubs en tu ciudad?*

*b* Si eres socio de un club de jóvenes escribe unos párrafos en español para describirlo. Si no hay un club de jóvenes en tu ciudad describe cómo sería tu club ideal.

Unidad 6

# Las vacaciones

## Una carta a la oficina de turismo

Leeds, 12 de abril

Muy señor mío:

Quiero pasar dos semanas en Zaragoza con mi familia en el mes de agosto.

¿Puede mandarme un plano de la ciudad y una lista de hoteles, por favor? Quisiera también un folleto con información sobre la región y un horario de autobuses.

En espera de su respuesta,

Le saluda atentamente,

John Blair

### Las frases clave

**1** Lee la carta a la oficina de turismo, luego tápala y pon estas palabras en el orden correcto para escribir las frases clave.

*a* semanas Zaragoza dos quiero en pasar.
*b* de puede un ciudad mandarme la plano.
*c* información un región quisiera la folleto con sobre.
*d* su en respuesta de espera.
*e* atentamente saluda le.

# Quiero visitar Tarragona

**2** Cambia cada **palabra subrayada** en la carta original con una palabra de esta lista para escribir otra carta a la oficina de turismo.

tres  restaurantes  junio  mapa

Tarragona  trenes  los lugares de interés

## Solicitar información

| | |
|---|---|
| Quiero *I want*<br>Quisiera *I would like* | un plano/un mapa de la ciudad *a plan/a map of the town.*<br>una lista de hoteles/campings/restaurantes<br>*a list of hotels/campsites/restaurants.* |
| Puede mandarme<br>*Can you send me* | un horario de autobuses/trenes? *a bus/train timetable?*<br>un folleto con información sobre la región/la zona/los lugares de interés?<br>*a brochure with information about the region/the area/the places of interest?* |

## Los meses

| | |
|---|---|
| enero *January* | julio *July* |
| febrero *February* | agosto *August* |
| marzo *March* | septiembre *September* |
| abril *April* | octubre *October* |
| mayo *May* | noviembre *November* |
| junio *June* | diciembre *December* |

## ¡Te toca a ti!

**3** Con la ayuda de estas imágenes escribe una carta a la oficina de turismo de Málaga.

# Los hoteles

## Reservar en un hotel

El Gerente,
Hotel Princesa,
Avenida de la Plata, 32,
Málaga.

Leeds, 2 de mayo

Muy señor mío:

Quisiera reservar dos habitaciones en su hotel para tres noches, desde el 7 hasta el 9 de agosto inclusive. Quiero una habitación doble con cuarto de baño, y una habitación individual con ducha.

Le ruego me envíe también información sobre los servicios del hotel, y una tarifa de precios.

Mi dirección es:

Le saluda atentamente,

Patty Ashdown

## Confirmar la reserva

York, 16 de febrero

Muy señor mío:

Después de nuestra conversación telefónica esta mañana, le escribo para confirmar los detalles de la reserva.

Quiero una habitación de tres camas con cuarto de baño, y una habitación individual con lavabo, para siete noches, desde el ocho hasta el dieciséis de septiembre. Queremos media pensión. También nos gustaría tener las habitaciones en el primer piso, si no hay ningún problema.

Le ruego me envíe un poco de información sobre los servicios del hotel, y una tarifa de precios también, por favor.

Le saluda atentamente,

M Sugden

Martin Sugden.

## La hoja de reserva

**4** Lee la carta de Martin Sugden y rellena la hoja de reserva del hotel con los detalles necesarios.

Nombre del cliente: Sr. Martin Sugden.

Habitaciones reservadas: ..............................

No. de noches: ....................

Fechas: ........................................

Desayuno sólo/media pensión/pensión completa.

Otros detalles: ........................................

Enviar al cliente: ....................

## ¿Quién lo dice?

**5** Lee otra vez las dos cartas pidiendo reserva en el hotel y decide quién dice lo siguiente, ¿Patty Ashdown, Martin Sugden, o las dos personas?

*a* Quiero reservar dos habitaciones en su hotel.

*b* Quiero reservar una habitación individual con ducha.

*c* Quiero una habitación doble con cuarto de baño.

*d* Quiero reservar para tres noches en el mes de agosto.

*e* Queremos media pensión.

*f* ¿Puede mandarme una tarifa de precios, por favor?

## ¿Qué tipo de habitación?

| | | | |
|---|---|---|---|
| Quiero reservar *I want to book* | una habitación individual *a single room*<br>una habitación doble *a double room*<br>una habitación con tres camas *a three-bedded room* | con *with* | cuarto de baño *bathroom*<br>ducha *shower*<br>lavabo *washbasin*<br>*vista al mar a sea view* |

## ¿Para cuándo?

| | | | | | | | |
|---|---|---|---|---|---|---|---|
| Para *For* | dos noches *two nights*<br>una semana *a week*<br>quince días *a fortnight* | desde el *from the* | dos *second*<br>tres *third*<br>etc. | hasta el *to the* | diez *tenth*<br>once *eleventh* | de *of* | julio *July*<br>agosto *August* |

## Las comidas

| Quisiera *I would like* | media pensión *half board*<br>pensión completa *full board* |
|---|---|

## ¿Qué quieres?

**6** Escribe los detalles de tu estancia en el hotel.
**Por ejemplo:**

*a* 8/10 → 12/10

**Quiero una habitación individual con lavabo para cinco noches desde el ocho hasta el doce de octubre inclusive, por favor.**

*b* 3/6 → 10/6

*c* 15/8 → 30/8

*d* 27/7 → 4/8

## ¿Cómo es el hotel?

### El Hotel Princesa ****

*El Hotel Princesa es un hotel moderno con cincuenta y seis habitaciones dobles y diez individuales. Pensión completa, media pensión, o cama y desayuno sólo. Todas las habitaciones tienen baño o ducha. También tienen televisión en color, mini-bar y teléfono. Para los residentes hay una cafetería y un restaurante.*

**Tarifa de precios:**

*Media pensión: 15.000 pts. persona/noche*
*Cama y desayuno: 12.500 pts. persona/noche*

**Horario de comidas:**

*Desayuno: 07.00 a 09.30*
*Comida: 13.00 a 15.00*
*Cena: 20.30 a 23.00*

## ¡Te toca a ti!

**7** Imagina que quieres ir a España con tu familia este verano, del 4 al 14 de agosto. Escribe una carta al Hotel Princesa para reservar las habitaciones necesarias. Sólo queréis desayunar y cenar en el hotel. ¿Cuánto os va a costar en total?

# El camping

## Una carta al camping

Teignmouth, 16 de marzo

Estimado señor:

Quiero pasar unos días en Valencia con mi familia este verano.

Me gustaría saber si tiene sitio para una caravana y una tienda de camping desde el 24 hasta el 29 de julio. Somos dos adultos y tres niños. ¿Me puede mandar una lista de tarifas, por favor? Quisiera saber también si hay duchas con agua caliente en el camping, si el camping tiene restaurante, y si hay aparcamiento vigilado. ¿Qué actividades hay para los jóvenes?

Con gracias anticipadas,

Le saluda atentamente.

Adrian Rand

### Reservas

| | |
|---|---|
| ¿Tiene sitio para *Do you have room for* | una caravana? *a caravan?*<br>una tienda de camping? *a tent?* |

## Las instalaciones

| | |
|---|---|
| ¿Hay *Is there/Are there* | duchas con agua caliente? *hot showers?* |
| ¿Tiene *Does it have* | restaurante? *a restaurant?* |
| | aparcamiento vigilado? *supervised parking?* |
| | actividades para los jóvenes? *activities for young people?* |

## ¡Te toca a ti!

**8** Imagina que quieres hacer camping en España este verano con un grupo de amigos. Lee esta información sobre el Camping Los Pinos y El Camping Fuentefría. Decide cuál prefieres y escribe una carta para reservar el sitio necesario. Acuérdate de dar las fechas de la estancia también.

# Los planes para el verano

## Voy al extranjero

Merche cuenta a su amiga sus planes para el verano.

Sabadell 24 de julio

Querida Kylie:

¿Cómo estás? Ya han empezado las vacaciones en el colegio ¿no? Pues, aquí también.

¿Qué vas a hacer tú este verano? Yo voy a ir al extranjero ¿sabes? Suelo veranear con mis padres en España, pero este año voy a ir a Italia con un grupo de amigos a hacer camping. Vamos a pasar una semana en el campo y otra semana en la costa. Vamos a viajar en autocar porque es más barato. Luego, una vez allí queremos alquilar unas bicicletas. A lo mejor iré a pasar una semana también en Inglaterra a finales de agosto. Dime si estarás en casa por esas fechas y pasaré a verte si puedo.

Hasta luego,

Vamos a hacer camping en Italia

## ¿Qué dice Merche?

**9** Lee su carta, luego copia estas frases y rellena los espacios con una palabra de la lista.

*a* Voy a ______ mis vacaciones en el ______
*b* Suelo ______ con mis ______ en España.
*c* Este año voy a ir de vacaciones con mis ______.
*d* Vamos en ______ porque es más ______.
*e* Queremos ______ unas bicicletas.
*f* Iré a pasar una ______ en Inglaterra a ______ de agosto.

| | | | | | |
|---|---|---|---|---|---|
| **veranear** | **amigos** | **padres** | **autocar** | **semana** | **extranjero** |
| **pasar** | | **finales** | | **alquilar** | **barato** |

## ¿Cómo pasaste las vacaciones?

Burgos 7 de septiembre

Hola Sam:

Este verano pasé unas vacaciones estupendas. Fui a los Estados Unidos con mis tíos y mi primo. Pasamos dos semanas en Orlando. Nos quedamos en un hotel moderno y muy cómodo. Me gustó muchísimo. Hizo buen tiempo todos los días.

Fuimos a Disneylandia por supuesto, y también visitamos muchos lugares interesantes. Lo pasé muy bien. Saqué muchas fotos y junto con esta carta te mando algunas.

¿Has ido tú de vacaciones a algún sitio? Escríbeme pronto para contarme lo que has hecho.

Hasta luego,

Amelia

## ¿Qué dice Amelia?

**10** Lee la carta de Amelia y empareja las dos partes de estas frases para escribir algunas de las frases clave.

| | |
|---|---|
| Fui | muchos lugares interesantes. |
| Pasamos | a los Estados Unidos. |
| Nos quedamos | muy bien. |
| Me gustó | dos semanas en Orlando. |
| Hizo | muchas fotos. |
| Visitamos | buen tiempo. |
| Lo pasé | en un hotel moderno. |
| Saqué | muchísimo. |

### El arreglo

| | | | |
|---|---|---|---|
| Voy a pasar<br>*I'm going to spend*<br><br>Vamos a pasar<br>*We're going to spend*<br><br>Pasé<br>*I spent*<br><br>Pasamos<br>*We spent* | unos días<br>*a few days*<br><br>una semana<br>*a week*<br><br>quince días<br>*a fortnight*<br><br>un mes<br>*a month*<br><br>el fin de semana<br>*the weekend*<br><br>las vacaciones<br>*the holidays* | en<br>*in/on* | la costa<br>*the coast*<br><br>la montaña<br>*the mountains*<br><br>el campo<br>*the country(side)*<br><br>el norte/sur/este/oeste<br>*the north/south/east/west*<br><br>el extranjero<br>*abroad* |
| | | al *at* | lado del mar<br>*the seaside* |

## ¿Qué vacaciones?

| | |
|---|---|
| las vacaciones de | verano *the summer holidays*<br>navidad *the Christmas holidays*<br>Semana Santa *the Easter holidays (Holy Week)*<br>Pascua *the Easter holidays* |

## ¿Con quién?

| | |
|---|---|
| con *with* | mi familia *my family*<br>mis padres *my parents*<br>mis amigos *my friends*<br>mis abuelos *my grandparents*<br>mis tíos *my aunt and uncle* |

## El alojamiento

| | |
|---|---|
| Voy a *I'm going to*<br>Vamos a *We're going to* | ir a un hotel/una pensión/un albergue juvenil<br>*a hotel/a guest house/a youth hostel*<br>hacer camping<br>*go camping*<br>alquilar un apartamento/una caravana<br>*rent a flat/a caravan* |

## ¿Adónde y cómo?

| | | | | |
|---|---|---|---|---|
| Voy/vamos *I am/we are going*<br>He/hemos ido *I have/we have been*<br>Fui/fuimos *I went/we went* | a *to* | España *Spain*<br>Inglaterra *England*<br>Ireland *Irlanda*<br>Escocia *Scotland*<br>Gales *Wales* | en *by* | coche *car*<br>barco *boat*<br>avión *plane*<br>tren *train*<br>autocar *coach* |
| Voy/vamos a hacer autostop. *I am/we are going to hitchhike.* | | | | |

## Unos coches extranjeros

**11** He aquí unas placas que indican que un coche es del extranjero. Descifra el nombre de cada país y emparejalo con la placa correspondiente.

**Por ejemplo:** *GB Gran Bretaña*

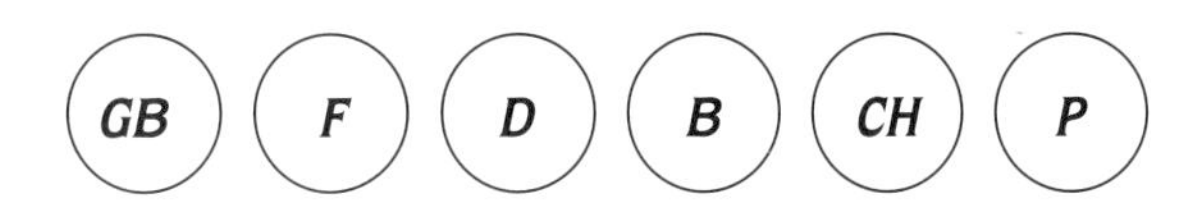


| éagcBil | ulagtoPr | ariFnac | rnGa eaaBñtr | lmaniAae | iSazu |
|---|---|---|---|---|---|

Este coche es de Gran Bretaña

## ¿Qué vas a hacer

**12** Con la ayuda de estas imágenes escribe unas frases para explicar cómo vas a pasar las vacaciones.

**Por ejemplo:**

***Este año voy de vacaciones a España. Voy a pasar una semana en la costa con mi familia. Vamos en coche. Vamos a alquilar un apartamento.***

## Hemos alquilado un apartamento

**13** Pon estas frases en el orden correcto y escribe la carta original.

Badalona 19 de junio

Querido Malcolm:

*a* muy pintoresco en la Costa Mediterránea, a una hora de Alicante. Fuimos allí

*b* Bueno, sin más por ahora, me despido con un abrazo.

*c* el año pasado. Hay bastante que hacer y lo pasé muy bien. Como vamos en

*d* el instituto. ¡Tenemos diez semanas de vacaciones! ¿Has decidido lo que vas a

*e* coche pensamos visitar otros lugares en la zona. Ya te mandaré una postal.

*f* Hola. ¿Qué tal? Yo estoy muy contento porque acabamos de terminar el curso en

*g* Hemos alquilado un apartamento en Denia cerca de la playa. Denia es un pueblo

*h* hacer tú este verano? Yo voy a pasar el mes de agosto en la costa con mi familia.

Tu amigo,

Juan

## Unas postales

Recibes estas postales de tus amigos españoles que están de vacaciones. ¿Quién lo está pasando mejor?

Hola,

Estamos de vacaciones, pero tenemos un problema con el alojamiento. El hotel es muy malo y no hay nada que hacer. No hay piscina ni discoteca. Tampoco hay pistas de tenis y el mini-golf siempre está cerrado. La región es bastante pintoresca. Hay muchos bosques y lagos pero hace mal tiempo y no podemos salir mucho. Para decirte la verdad tengo ganas de volver a casa.

¡Hasta pronto!

Yolanda

Hola.
Estoy en Gandía con mi familia. Llegamos el lunes pasado. Es un pueblo muy agradable. Hace buen tiempo y el apartamento está bien. La playa es muy bonita y ayer por la mañana fui a tomar el sol. A mediodía comimos en un restaurante muy bueno. Mañana hay una excursión al parque zoológico y por la noche vamos a un concierto de flamenco. Lo estoy pasando muy bien.
Recuerdos, Arturo

## ¿Bien o mal?

**14** Lee las postales otra vez. Busca las opiniones positivas y negativas de las vacaciones y cópialas bajo estas categorías.

**Por ejemplo:**

| Las opiniones positivas | Las opiniones negativas |
|---|---|
| *Es un pueblo muy agradable.* | *Tenemos un problema con el alojamiento.* |

## ¿Qué vas a hacer?

| | | |
|---|---|---|
| Hoy *Today*<br>Esta tarde *This afternoon*<br>Mañana *Tomorrow* | voy/vamos a<br>*I am/we are going to* | alquilar un coche/una bicicleta<br>*hire a car/a bicycle*<br>tomar el sol *sunbathe*<br>ir de excursión *go on a trip*<br>esquiar *to ski* |

## ¿Qué hiciste?

| | |
|---|---|
| El otro día *The other day*<br>Ayer *Yesterday*<br>Esta mañana *This morning* | fui/fuimos a nadar *I went/we went swimming*<br>compré/compramos unos recuerdos<br>*I bought/we bought some souvenirs*<br>visité/visitamos el parque de atracciones<br>*I visited/we visited the theme park*<br>saqué/sacamos muchas fotos *I took/we took lots of photographs* |

## El tiempo

| | |
|---|---|
| Hace *The weather is* | buen tiempo *good* |
| Ha hecho *The weather has been* | mal tiempo *bad* |
| | sol *sunny* |
| | calor *hot* |
| | frío *cold* |
| | viento *windy* |

# De vacaciones

**15** *a* Copia esta postal y en vez de los símbolos escribe la(s) palabra(s) correcta(s) para completarla.

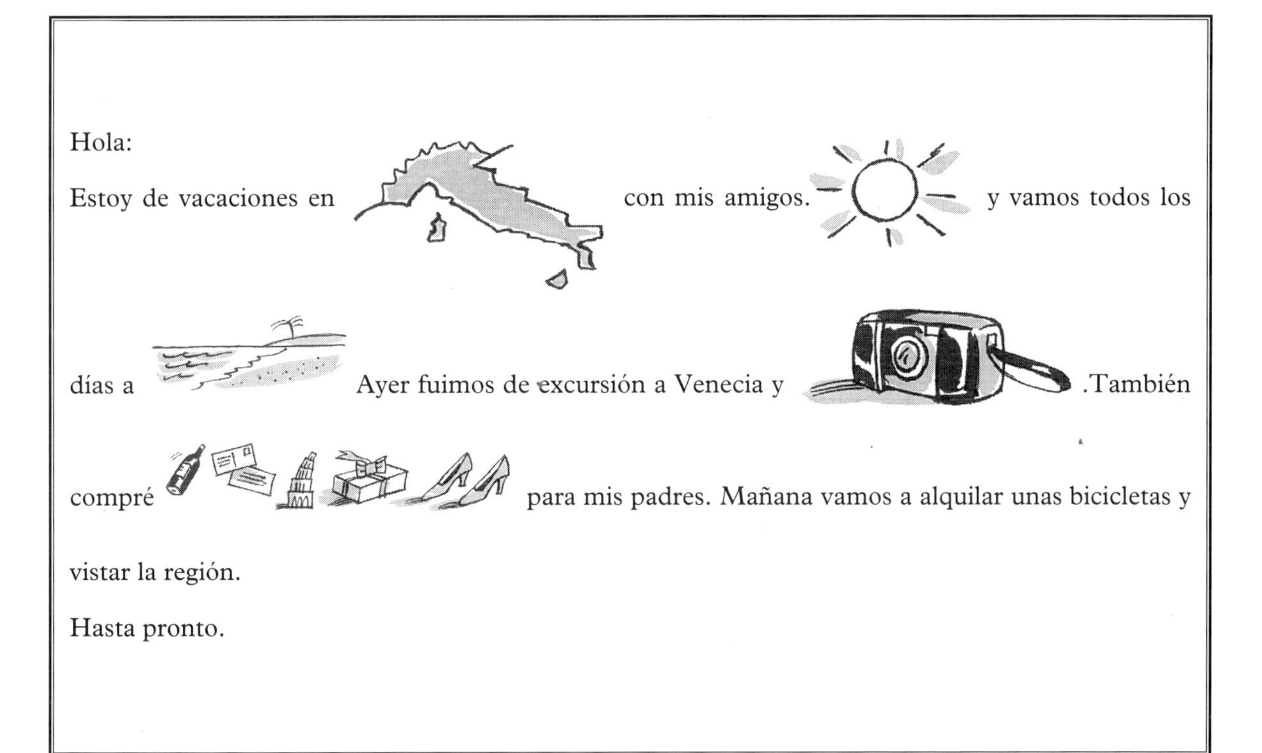

Hola:

Estoy de vacaciones en con mis amigos. y vamos todos los

días a Ayer fuimos de excursión a Venecia y .También

compré para mis padres. Mañana vamos a alquilar unas bicicletas y

vistar la región.

Hasta pronto.

*b* Copia esta postal y pon el verbo entre paréntesis [ ] en la forma correcta.

Hola:

[**Estar**] de vacaciones en Salou con mi familia. [**Llegar**] el sábado pasado. [**Hacer**] bastante calor y [**tomar**] el sol todos los días. El otro día [**ir a visitar**] el parque de atracciones 'Port Aventura' – ¡me gustó muchísimo! [**Sacar**] un montón de fotos. Esta noche [**ir**] a cenar con mis padres en un restaurante típico cerca de la playa.

Saludos.

## ¡Te toca a ti!

**16** *a* Estás pasando dos semanas de vacaciones con tus padres. La primera semana hay problemas y no lo estás pasando bien. Escribe una postal a tu amigo/a española.

*b* La segunda semana las cosas van mejor. Ahora escribe otra postal a tu amigo/a para decirle qué pasa.

# Unos objetos perdidos

La persona que ha escrito esta carta tiene un problema. ¿Cuál es?

Toledo 7 de septiembre

Estimados señores:

Acabo de llegar a casa después de pasar una semana en su hotel del 3 al 10 de junio. Creo que dejé mi máquina de fotos y una chaqueta en la habitación 103.

Si las tiene ¿puede hacerme el favor de mandarlas a la dirección indicada, por favor? A vuelta de correo le reembolsaré el debido coste del envío.

Le estaría muy agradecido,

Atentamente.

## ¿Qué has perdido?

| | | |
|---|---|---|
| | una máquina de fotos *a camera* | una chaqueta *a jacket* |
| He dejado/dejé *I have left/I left* | unas gafas de sol *a pair of sunglasses* | mi pasaporte *my passport* |
| He perdido/perdí *I have lost/I lost* | una toalla *a towel* | mi monedero *my purse* |
| | mi cartera *my wallet* | un carrete de fotos *a film* |

## ¡Te toca a ti!

**17** Con la ayuda de esta información escribe una carta a un camping donde has pasado las vacaciones para decirles lo que has dejado. Acuérdate de decirles también adónde tienen que mandar el artículo.

# Las fiestas y las celebraciones

## ¡Felicidades!

Querida Neli:

Con esta tarjeta te mando mis mejores deseos para un feliz cumpleaños en compañía de tu familia y amigos. ¿Qué vas a hacer? ¿Vas a tener una fiesta o salir a comer en algún sitio? En tu próxima carta cuentame cómo lo has pasado.

Tu amiga.

### ¡Enhorabuena!

Feliz cumpleaños *Happy Birthday*

Feliz Santo *Happy Saint's Day*

Feliz Navidad *Happy Christmas*

Feliz Año Nuevo *Happy New Year*

Feliz aniversario *Happy anniversary*

## ¿Cómo vas a celebrarlo?

| | |
|---|---|
| ¿Vas a *Are you going* | tener una fiesta? *to have a party?* |
| | salir a comer/cenar? *to go out for a meal?* |
| | ir al cine/a una discoteca? *to go to the cinema/to a discotheque?* |
| | hacer algo especial? *to do anything special?* |

# Otra tarjeta

**1** Cambia las partes subrayadas en la tarjeta a Neli, para escribir otra diferente.

# Es mi cumpleaños

**2** Copia esta carta y rellena cada espacio con o sin la ayuda de las palabras de la lista.

______ es mi ______ Este año no voy a tener una ______ en casa. Voy a ______ con mi familia en un ______ a mediodía y luego por la noche voy a una ______ con mis amigos.

**mañana** **cumpleaños** **fiesta** **comer** **restaurante** **discoteca**

## ¡Te toca a ti!

**3** Escribe un párrafo en español para explicar cómo vas a celebrar tu cumpleaños. Empieza tu carta así:

Hola:

Este jueves es mi cumpleaños. Voy a celebrarlo con mi familia y mis amigos . . .

## Hoy es mi Santo

29 de junio

¡Hola!
¿Sabes que hoy es mi santo? En España, además del cumpleaños, se celebra el día del santo. Es el día en el calendario que corresponde al nombre de la persona. Por ejemplo, hoy, 29 de junio, es el día de San Pedro y es la fiesta de todos los que nos llamamos "Pedro". Como mi padre se llama Pedro también es su santo.

Pedro

## ¿Cómo lo pasaste?

18 de octubre

Querido amigo
Muchas gracias por la tarjeta que me mandaste para mi cumpleaños. Fue el sábado y pasé un día estupendo. Recibí varios regalos. Mis padres me dieron como regalo un nuevo equipo de música y mi hermana me dió un disco compacto. Por la tarde mis amigos vinieron a casa a merendar. Mi madre preparó unos bocadillos y compró una tarta grande en la pastelería. Como fue una ocasión especial también abrimos una botella de champán para animar la fiesta. Por la noche salí a cenar con toda la familia a un restaurante italiano en el centro. En mi próxima carta te mandaré unas fotos que saqué.

Hasta pronto,

Rodrigo.

| | | |
|---|---|---|
| Mi cumpleaños, etc. *My birthday, etc.* | fue *was* | el sábado pasado *last Saturday* |
| | es *is* | el 16 de marzo *the 16th of March* |
| | será *will be* | la semana que viene *next week* |
| Recibí *I received*<br>Mi hermano/mi hermana me dio<br>*My brother/my sister gave me*<br>Mis padres/mis amigos me dieron<br>*My parents/my friends gave me* | | varios regalos *several presents*<br>un equipo de música *a music system*<br>un disco compacto *a CD*<br>dinero *money*<br>ropa *clothes* |

## ¿Cómo se dice?

**4** Lee la carta de Rodrigo otra vez y busca la versión de estas frases inglesas.
**Por ejemplo:**
**Thank you very much for your card.** **Muchas gracias por la tarjeta.**

## Los regalos

**5** Completa estas frases y explica lo que recibiste como regalo para tu último cumpleaños. Puedes usar el diccionario si quieres.

Recibí ______________
Mi __________ me dio __________
Mis __________ me dieron como regalo __________

## ¡Te toca a ti!

**6** Escribe una carta y describe tu cumpleaños. Primero, para organizar tus ideas, contesta estas preguntas.

¿Cuándo fue tu cumpleaños?

¿Qué te dieron tus amigos?

¿Cómo pasaste el día?

¿Tuviste una fiesta?

¿Qué regalos recibiste?

# Las fiestas navideñas

Querida amiga,

Estoy muy contenta de que este año vas a venir a pasar las navidades en mi casa. ¡Lo vas a pasar estupéndamente! Te voy a contar un poco de cómo son las navidades aquí. El 24 de diciembre es Nochebuena y es cuando toda la familia cena juntos en casa antes de ir a Misa del Gallo a medianoche. El día siguiente, el Día de Navidad, es bastante tranquilo. Por la tarde, después de comer, vamos a casa de mis abuelos a tomar un café y unos pasteles. Hoy en día en algunas familias es Papá Noel quien deja los regalos a los niños en Nochebuena pero lo más tradicional en España, sin embargo, es recibirlos el Día de Reyes, es decir el 6 de enero. La noche del 5 dejamos los zapatos y los calcetines en el hogar. También dejamos agua, paja y una zanahoria para los camellos del los Reyes Magos. Si somos buenos los Reyes nos dejan regalos. Pero si somos malos ¡sólo nos dejan un trozo de carbón!

Bueno, como nosotros somos muy buenos vamos a tener muchos regalos. Lo pasaremos bien. ¡Ya verás!

Hasta pronto

Neli

## Un resumen

**7** Escribe un resumen de la carta en inglés para explicar a una persona que no habla español lo que dice Neli.

En la procesión de Los Reyes Magos

## Los días y los personajes

| | |
|---|---|
| Nochebuena *Christmas Eve* | El día de Reyes *Epiphany* |
| El día de Navidad *Christmas Day* | La Misa del Gallo *Midnight Mass* |
| Nochevieja *New Year's Eve* | Papá Noel *Father Christmas* |
| Año Nuevo *New Year's Day* | Los Reyes Magos *The Three Wise Men* |

## Las navidades en España

**8** Completa estas frases.

El 24 de diciembre es ________
El 25 de diciembre es ________
El 31 de diciembre es ________
El 1 de enero es ________
El 6 de enero es ________
En Inglaterra normalmente es ________ quien deja los regalos.
En España son ________ quienes dejan los regalos a los niños.

## ¡Te toca a ti!

**9** *a* Tu amigo/a española viene a pasar las navidades en tu casa. Escribe una carta para explicarle como se celebran.

*b* Escribe un párrafo sobre cómo pasaste la última Nochevieja.

## ¡Feliz Navidad!

Querida familia:
Espero que al recibir esta felicitación os encontréis todos bien y contentos. Aquí, en mi casa, hemos puesto un árbol de navidad y también hemos colgado algunos adornos. En España es tradición poner un belén en casa. Nosotros tenemos uno en el salón. ¿Y vosotros? ¿Estáis preparados para las fiestas de Navidad?
¡Feliz Navidad y Próspero Año Nuevo!

## Las tradiciones navideñas

| | |
|---|---|
| He<br>*I have*<br><br>Hemos<br>*We have* | puesto el árbol de navidad<br>*put up the Christmas tree*<br><br>colgado algunos adornos<br>*hung up the decorations*<br><br>puesto el belén<br>*set up the Nativity scene*<br><br>comprado los regalos<br>*bought the presents*<br><br>mandado los crismas<br>*sent the Christmas cards* |

La tradición en muchas casas españolas es poner el belén y plantar el árbol de navidad

## ¿Estáis preparados?

**10** Con la ayuda de estas imágenes escribe unas frases para explicar los preparativos para las fiestas de Navidad.

# Los bodas

## Una invitación a la boda

Salvador y Mari Paz

Nos gustaría que nos acompañárais en nuestra Boda, que se celebrará el día 26 de Marzo a las 18'30 horas, en el Juzgado de Albuixech.

Albuixech, 1.994

Cena: a las 21 horas en Restaurante Orly
Avda. Neptuno, 10 - Playa Puebla de Farnals

Rogamos confirmen asistencia

Mandamos invitaciones a unos 135 personas.

## El menú del convite

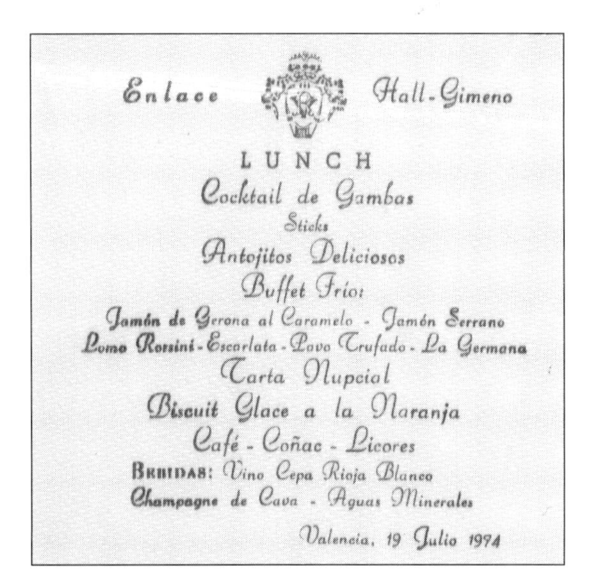

Enlace Hall-Gimeno

LUNCH
Cocktail de Gambas
Sticks
Antojitos Deliciosos
Buffet Frios
Jamón de Gerona al Caramelo - Jamón Serrano
Lomo Rossini - Escarlata - Pavo Trufado - La Germana
Tarta Nupcial
Biscuit Glace a la Naranja
Café - Coñac - Licores
Bebidas: Vino Cepa Rioja Blanco
Champagne de Cava - Aguas Minerales

Valencia, 19 Julio 1974

Todos comimos muy bien – la tarta nupcial fue deliciosa.

## Algunas fotos del álbum

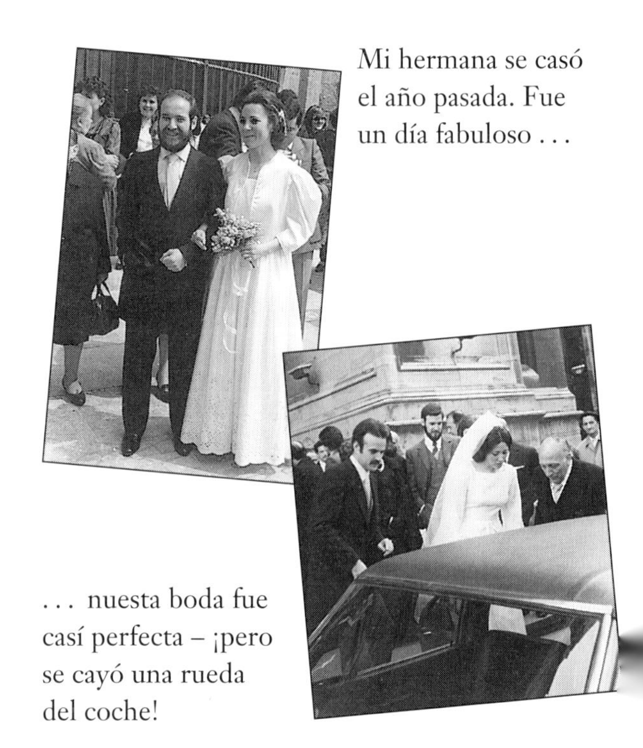

Mi hermana se casó el año pasada. Fue un día fabuloso . . .

. . . nuesta boda fue casí perfecta – ¡pero se cayó una rueda del coche!

## ¡Te toca a ti!

**11** Mira las fotos y lee los comentarios durante un minuto. Luego tapa los comentarios y para cada foto escribe una explicación.

## Nuestra hija se casa

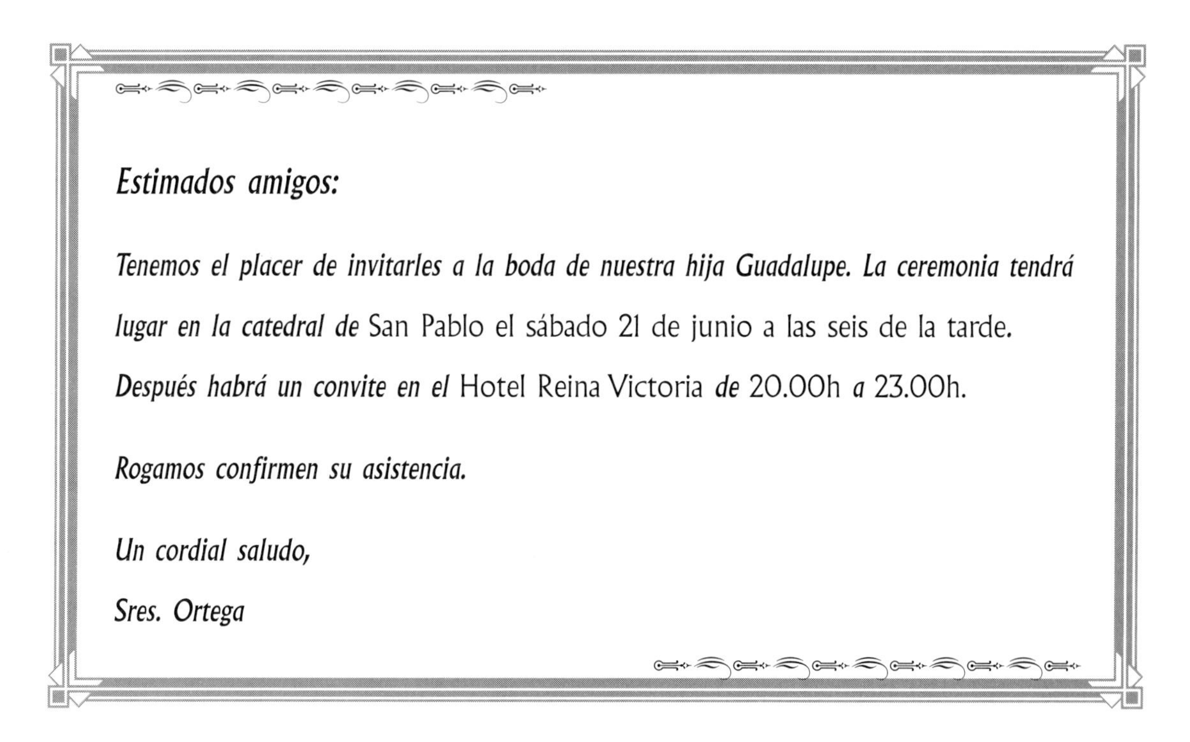

*Estimados amigos:*

*Tenemos el placer de invitarles a la boda de nuestra hija Guadalupe. La ceremonia tendrá lugar en la catedral de* San Pablo el sábado 21 de junio a las seis de la tarde.

*Después habrá un convite en el* Hotel Reina Victoria *de* 20.00h *a* 23.00h.

*Rogamos confirmen su asistencia.*

*Un cordial saludo,*

*Sres. Ortega*

## Hay que ayudar a unos amigos

**12** Imagina que el hijo de unos amigos va a casarse. Quieren invitar a unos amigos españoles a la boda. Como no hablan español tienes que ayudarles. Con la ayuda de la información en esta tarjeta escribe una breve carta en español para acompañar la invitación.

Wedding

Thomas Spiggot

&

Waynetta Larkspur

Saturday 18th April St. Peter's Church at 11.30 am.

Followed by reception in the Riverside Hotel 2.00–5.00 pm.

R.S.V.P

# Mañana es fiesta

**13** Lee este mensaje que Neri manda a sus amigos por correo electrónico y las dos respuestas que recibe. ¿Qué sugiere Magda? ¿Por qué no puede aceptar la inivtación Miguel?

Hola amigos:

¿Como mañana jueves es fiesta ¿qué vais a hacer? ¿Por qué no vamos a la playa?

Saludos,

Neri.

---

Hola Neri:

Gracias por la invitación. De acuerdo. Me gustaría mucho ir a la playa mañana. ¿Dónde nos vemos y a qué hora? ¿En la estación de autobuses a las diez y media?

Hasta luego,

Magda.

---

Hola Neri:

Gracias por tu mensaje. Lo siento, pero no puedo ir a la playa mañana. Como hacemos puente en el instituto voy a pasar cuatro días en el campo con unos amigos. Te llamaré el domingo cuando vuelvo.

Un abrazo,

Miguel.

## Un día libre

| | | | |
|---|---|---|---|
| Hoy *Today*<br>Mañana *Tomorrow*<br>Pasado mañana *The day after tomorrow* | es fiesta *is a holiday* | Hay *There's*<br>Hacemos *We are having* | puente *a long weekend* |
| ¿Por qué no *Why don't* | vamos a la playa (etc.)? *we go to the beach (etc.)?*<br>salimos a algún sitio? *we go out somewhere?*<br>hacemos algo? *we do something?* | | |

## ¡Te toca a ti!

**14** *a* Escribe un mensaje en español. Explica cuando hay fiesta y sugiere algo que hacer.

*b* Lee este mensaje de Toni.

> Hola:
>
> Como pasado mañana es fiesta ¿por qué no hacemos algo? Contéstame y dime lo que piensas.
>
> Toni.

i) Primero escribe una respuesta al mensaje. Sugiere algo que hacer y un lugar y hora para veros.

ii) Ahora escribe otra respuesta para explicar por qué no puedes aceptar la invitación.

# Algunas fiestas famosas

Fallas

Semana Santa

Hay muchas fiestas bonitas y muy importantes en España. Una de las más conocidas son las Fallas de Valencia cuando plantan en las calles unos monumentos grandes de cartón y madera. Esta fiesta se celebra entre el 15 y el 19 de marzo. Siempre termina el día de San José que también es el Día del Padre.

Para mí las fiestas más bonitas son, sin duda, las de Semana Santa. Las más famosas tienen lugar en Sevilla con las procesiones de los penitentes y los pasos con escenas religiosas por las calles de la ciudad.

Moros y Cristianos

En Alcoy, en la provincia de Alicante, celebran el Día de San Jorge con la Fiesta de Moros y Cristianos. Los habitantes se disfrazan de moro o cristiano y hay muchos desfiles por las calles.

En Pamplona en el mes de julio las fiestas de San Fermín atraen a muchos turistas de todas las nacionalidades. Todos los días hay corridas de toros. Por la mañana del 7 de julio los toros corren sueltos por las calles de la ciudad. La tradición es que los jóvenes corren delante de ellos desde la Plaza Mayor hasta la Plaza de Toros. Es una tradición emocionante, ¡pero sumamente peligrosa! Hay una canción muy conocida sobre los Sanfermines que se canta mucho durante esta fiesta. He aquí la letra:

**San Fermín**

Uno de enero,
dos de febrero,
tres de marzo,
cuatro de abril,
cinco de mayo,
seis de junio,
siete de julio: ¡SAN FERMÍN!

A Pamplona hemos de ir
con una bota, con una bota.

A Pamplona hemos de ir
con una media y un calcetín.

## Algunos días de Fiesta en España

| | |
|---|---|
| 14 de febrero | Día de San Valentín |
| 19 de marzo | Día de San José (Día del Padre) |
| 23 de abril | Día de San Jorge |
| 8 de mayo | Día de la Madre |
| 7 de julio | Día de San Fermín |
| Semana Santa | *Holy Week* |
| Domingo de Ramos | *Palm Sunday* |
| Jueves Santo | *Maundy Thursday* |
| Viernes Santo | *Good Friday* |
| Domingo de Resurrección | *Easter Sunday* |

## ¿Qué fiesta describe?

**15** Primero empareja cada una de las siguientes descripciones con la Fiesta correcta. Luego lee las cartas otra vez y compara tus respuestas.

Fallas | Moros y Cristianos | Semana Santa | Los Sanfermines

*a* Es una fiesta muy religiosa.
*b* El último día de la fiesta también es el Día del Padre en España.
*c* Los toros corren sueltos por las calles.
*d* Ponen unas figuras muy grandes en la calle.
*e* La gente se disfraza y desfila por la ciudad.
*f* Las más famosas de estas fiestas se celebran en Sevilla.
*g* Es una tradición emocionante y muy peligrosa.
*h* Esta fiesta conmemora el día de San Jorge.

## ¡Te toca a ti!

**16** Escribe un párrafo en español para describir una fiesta tradicional en tu país o en tu pueblo.

## El Día de San Valentín

El día de San Valentín también se llama 'El Día de los Enamorados' en España. En ese día muchas personas escriben una tarjeta o una nota de amor, cariño o amistad a una persona querida. Por ejemplo:

Cariño:
Desde que nos conocimos pienso constantemente en ti. Cuando estamos juntos soy muy feliz y si paso un día sin verte me siento muy triste.
♡ Contigo para siempre.

## ¡Te toca a ti!

**17** Diseña y escribe una carta de San Valentín a tu amigo/a especial. Elige algunas de estas frases para ayudarte.

Queridísimo/a . . .
Muy cariño mío:

Eres una persona muy especial.
Te quiero mucho.

No puedo vivir sin ti.
Nos entendemos muy bien.

Siempre puedes contar conmigo.
No me olvides nunca.

# Problemas

## Problemas personales

Unos jóvenes españoles escriben a una revista para pedir consejos.

### Escribe a María con tu problema

Querida María:

El problema es que mis padres no me entienden. Tengo catorce años y me gusta mucho salir por la noche con mis amigos pero mis padres siempre están muy preocupados. Dicen que soy muy joven todavía y tengo que estar en casa antes de las once. Mis amigos no tienen este problema. Sus padres les dan una llave y pueden volver cuando quieren. ¿Qué puedo hacer?

Anita.

Querida María:

Estoy muy preocupado. Tengo un amigo que bebe mucho. Tiene dieciséis años y bebe por lo menos una botella de vino al día. Dice que no hay problema y que lo que hace él no tiene nada que ver conmigo. No sé qué hacer. ¿Me puedes ayudar?

Gracias.

Querida María:

Tengo dieciséis años. Al fin de este curso quiero dejar el instituto y buscar un trabajo para ganar dinero. Mis padres están muy enfadados y dicen que tengo que continuar con los estudios porque es la única manera de conseguir un buen empleo. No quiero darles ningún disgusto a mis padres, pero también quiero que comprendan mi punto de vista. ¿Qué me aconsejas?

Maribel.

Querida María:

Estoy muy triste. En el colegio hay un chico que me hace la vida imposible. Estoy un poco gordo y él llama la atención constantemente a mi peso. Siempre se ríe de mí y me insulta continuamente delante de los compañeros de clase. ¡No lo aguanto más! ¡Ayúdame por favor!

Guillermo

## Las dificultades

| | |
|---|---|
| El problema es que<br>*The problem is that* | mis padres no me entienden<br>*my parents don't understand me* |
| | tengo un amigo que bebe mucho<br>*I have a friend who drinks a lot* |
| | mis padres están muy enfadados<br>*my parents are very angry* |
| | hay un chico que me hace la vida imposible<br>*there's a boy who is making my life impossible* |
| | siempre se ríe de mí<br>*s/he's always laughing at me* |
| | me insulta continuamente<br>*s/he insults me all the time* |

## Pedir ayuda

| | |
|---|---|
| ¿Qué puedo hacer? | *What can I do?* |
| ¿Me puedes ayudar? | *Can you help me?* |
| ¿Qué me aconsejas? | *What can you advise?* |
| ¡Ayúdame! | *Help me!* |
| ¡No lo aguanto más! | *I can't stand it any more!* |
| No sé qué hacer. | *I don't know what to do.* |

## ¿Quién?

**1** Lee las cartas otra vez y decide:

**a** ¿Quién se preocupa por su amigo?

**b** ¿Quién quiere dejar los estudios y empezar a trabajar?

**c** ¿Quién quiere volver a casa más tarde por la noche?

**d** ¿Quién tiene un problema grave en el colegio?

## En mi opinión

**2** En tu opinión ¿quién tiene el problema más grave? ¿Por qué? ¿Y el menos grave?

## Tu consejo

**3** ¿Qué consejo darías tú a cada persona? Escribe una breve respuesta a cada carta.

## ¡Te toca a ti!

**4** Piensa en un problema que tienes o que has tenido tú. Escribe a María con tu problema.

# El medio ambiente

El medio ambiente es algo que preocupa a muchos jóvenes. Aquí unos españoles dan su opinión.

En mi opinión, uno de los peligros más graves para el medio ambiente es la cantidad de basura que tiramos. Tenemos que reciclar nuestra basura. Hay que depositar el papel, el vidrio, el plástico y las latas en los contenedores públicos. Sólo tenemos un mundo – ¡es nuestro deber cuidarlo!

Yo creo que la contaminación está destruyendo nuestro planeta. El humo de las chimineas de las fábricas y los gases que echa el tráfico perjudican la atmósfera, destrozan la capa del ozono y producen la lluvia ácida. También vemos el efecto de la contaminación cuando algún petrolero pierde su carga – playas negras y aves marinas muertas. ¡Hay que hacer algo antes de que sea demasiado tarde!

A mi parecer somos todos víctimas del ruido excesivo. Desde el jaleo insoportable de las motos sin tubo de escape hasta el ruidito metálico y molesto de los malditos Walkmans que están en todas partes. ¡Tenemos que buscar una solución o nos volveremos sordos!

Algo que me procupa mucho es la crueldad innecesaria hacia los animales. La matanza de las ballenas y la caza de los tigres son dos ejemplos concretos. Si nos descuidamos dentro de poco no quedarán ni ballenas ni tigres. Tampoco estoy de acuerdo con los llamados deportes cuando matan a los animales por placer. En Inglaterra hay la caza al zorro y en España las corridas de toros. ¡A mi juicio hay que prohibir las dos cosas!

¡Nuestro mundo se quema! Todos los veranos leemos en el periódico de otro bosque que ha desaparecido a causa de un incendio forestal. Casi siempre se debe a una colilla tirada o a una barbacoa imprudente. ¡Hay que tener cuidado! ¡Tenemos que respetar el paisaje!

## Las preocupaciones

| | |
|---|---|
| Un peligro grave es *A serious danger is*<br>Algo que me preocupa mucho es *Something which worries me a lot is*<br>No estoy de acuerdo con *I don't agree with* | la cantidad de basura que tiramos *the amount of rubbish we throw away*<br>la contaminación *pollution*<br>la lluvia ácida *acid rain*<br>el ruido excesivo *unnecessary noise*<br>la crueldad hacia los animales *cruelty to animals* |

## Los remedios

| | |
|---|---|
| Hay que *We must*<br>Tenemos que *We have to* | reciclar nuestra basura *recycle our rubbish*<br>depositar el papel, el vidrio y las latas en los contenedores públicos *deposit paper, glass and cans in the recycling bins*<br>cuidar nuestro mundo *look after our world*<br>hacer algo *do something*<br>prohibir la caza del zorro y las corridas de toros *ban fox hunting and bull fighting*<br>respetar el paisaje *respect the countryside*<br>tener cuidado *be careful*<br>buscar una solución *look for a solution* |

## ¿De acuerdo o no?

**5** ¿Estás de acuerdo con los jóvenes que han escrito a la revista? ¿Por qué? ¿Por qué no?

## Los lemas

**6** Empareja cada lema con el dibujo que le corresponde.

i) ¡Mantengan la ciudad limpia! ¡Usen las papeleras!

ii) ¡Menos ruido, más consideración!

iii) ¡Ahorre energía! ¡Apaguen las luces!

iv) Usar transporte público ayuda al medio ambiente.

## Una campaña publicitaria

**7** Diseña un póster con un lema apropiado para acompañar una campaña publicitaria para uno de los problemas del medio ambiente que los jóvenes describen en las cartas.

## ¡Te toca a ti!

**8** ¿Qué es lo que más te preocupa de la forma que tratamos nuestro planeta, los animales o los seres humanos? Escribe una carta a una revista para expresar tu opinión y justificarlo.

# ¿Quién sabe dónde?

En esta sección de la revista varias personas solicitan información sobre familiares que han desaparecido.

Eduardo Ballester. 57 años. Mide 1.80m. Pesa 80 kilos. Tiene el pelo castaño y los ojos azules. También tiene bigote. Salió de casa el 17 de enero para ir a comprar un periódico en la zona del mercado y no se le ha visto desde entonces. Llevaba un pantalón gris, una camisa blanca, un jersey rojo y una chaqueta marrón. Si alguien tiene información sobre su paradero escriba al apartado 2591.

Estéban Quilis. 18 años. Mide 1.78m. Pesa 70 kilos. Tiene el pelo negro y corto. En el verano del '96 trabajaba como monitor en una colonia de vacaciones en Almería. Desde entonces no se sabe nada de él. Sus padres están muy preocupados. Póngase en contacto con el apartado 4829.

Beatriz Carvallo. 31 años. Mide 1.65m. Pesa 55 kilos. Tiene el pelo largo y rubio y los ojos marrones. Lleva gafas. Se le vio por última vez el 28 de junio en la zona del puerto. Marido y dos niños desesperados. Información por favor al apartado 3198.

### ¿Cómo es?

| | | | |
|---|---|---|---|
| Tiene<br>*He/she has* | el pelo<br>*hair* | largo/corto<br>*long/short*<br><br>negro<br>*black* | rizado<br>*curly*<br><br>liso<br>*straight* |
| | los ojos<br>*eyes* | azules<br>*blue* | verdes<br>*green* |
| | bigote<br>*a moustache*<br><br>barba<br>*a beard* | | |

Verse también la página 20.

### ¿Qué lleva?

| | |
|---|---|
| Lleva<br>*She/he is wearing*<br><br>Llevaba<br>*She/he was wearing* | un pantalón<br>*trousers*<br><br>una camisa<br>*a shirt*<br><br>una chaqueta<br>*a jacket*<br><br>un jersey<br>*a pullover*<br><br>gafas<br>*glasses* |

## Una descripción

**9** Escribe en inglés una breve descripción de las tres personas en la sección ¿Quién sabe dónde?.

## ¡Te toca a ti!

**10** Con la ayuda de esta información escribe un anuncio para la sección ¿Quién sabe dónde?

| | | |
|---|---|---|
| 1.79m | 95 kilos | 27 años |
| pelo negro/corto | **Pedro Gasset** | ojos azules |
| playa – 18 de julio | pantalón, chaqueta, gafas | apartado 3256 |

# Perdido o robado

Si pierdes algo o te roban, hay que hacer una declaración en una comisaría.

**Objeto perdido o sustraído:** Maleta

**Descripción:** Grande. Marrón. En plástico.

**Contenido:** Pijama. Calcetines. Ropa interior. Camisas. Bolsa de aseo.

**Dónde:** Estación de autobuses.

**Objeto perdido o sustraído:** Cartera

**Descripción:** Negra. En cuero.

**Contenido:** 20.000 ptas. en efectivo. Cheques de viaje. Tarjetas de crédito. Talonario de cheques. Bonobús.

**Dónde:** Plaza Mayor.

# Prueba de memoria

**11** Estudia las declaraciones durante dos minutos. Luego copia estos titulares en un papel, cierra el libro y describe lo que ha perdido cada persona.

Objeto perdido o sustraído

Contenido

Dónde

Descripción

## ¡Te toca a ti!

**12** Imagina que estás en la playa en España. Sales del mar y no encuentras tu bolsa. Haz una declaración para la policía.

# Quejas

Una revista invita las opiniones de sus lectores sobre sus peores experiencias. He aquí una de las respuestas publicadas.

Este año he pasado las peores vacaciones de mi vida. Fui con unos amigos a un hotel en la Costa Brava y ¡fue un desastre! Estos son algunos de los problemas que encontramos:

- las habitaciones estaban sucias;
- la luz no funcionaba;
- la ventana estaba rota;
- no había papel higiénico ni agua caliente en el cuarto de baño;
- la piscina estaba todavía en construcción;
- la comida en el restaurante fue horrible.

Cuando hablé con el director del hotel me dijo que nadie más se había quejado y que ¡yo estaba exagerando los problemas! Desde luego no volveré a ese hotel nunca más, ni voy a recomendarlo a nadie.

## ¡Qué desastre de hotel!

**13** Empareja las dos partes de las frases para identificar las quejas.

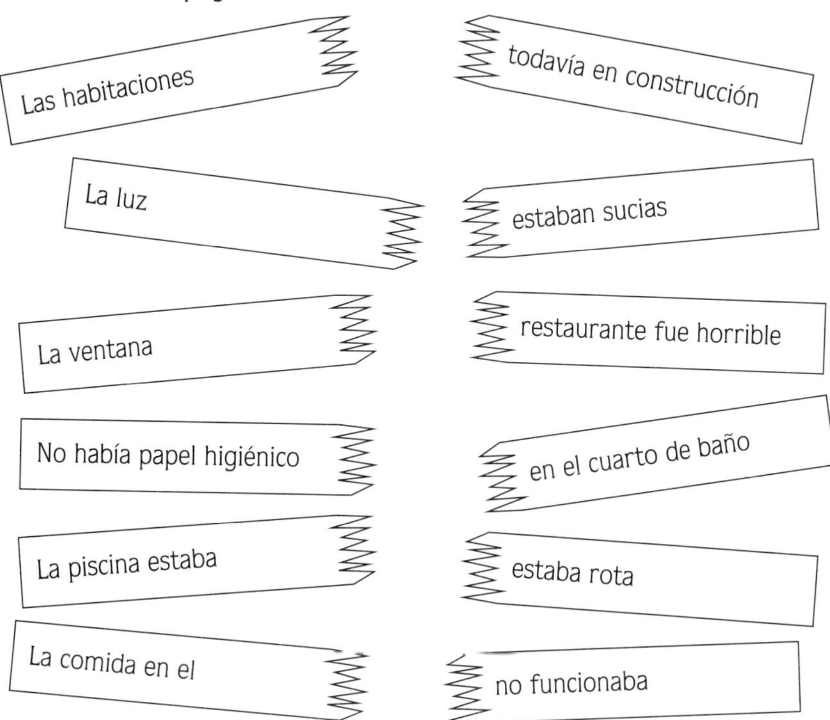

## ¡Una noche inolvidable!

Otra persona recuerda una visita al cine.

El otro día fui con unos amigos al nuevo multicine que han abierto. ¡Lo pasé fatal! Primero nos perdimos por el camino y cuando llegamos había una cola de miedo. Tuvimos que esperar veinte minutos. Luego sólo quedaban entradas para un extremo de la última fila desde donde no pudimos ver bien la pantalla. ¡El colmo fue que la película era malísima! Me llevé una gran desilusión. Me habían recomendado la película pero en mi opinión la historia y la actuación dejaban mucho que desear. En resumidas cuentas ¡una noche inolvidable!

Susana Beltrán

## Una entrevista con Susana

**14** ¿Cómo contestaría Susana a estas preguntas?

¿Adónde fuiste?

¿Qué tal lo pasaste?

¿Por qué llegasteis tarde?

¿Qué entradas sacasteis?

¿Cómo era la película?

¿Por qué fuiste a ver esa película?

## ¡Te toca a ti!

**15** Escribe un párrafo para contar una experiencia negativa que has tenido. Puede ser una experiencia auténtica o imaginaria.

**Por ejemplo:**

- Una película, una obra de teatro o un programa de televisión que no te ha gustado.
- Unas vacaciones en un hotel o en un camping malo.
- Una fiesta aburrida.
- Una excursión desastrosa.

# Glosario de vocabulario

## a

a *at; to*
a finales (de) *towards the end (of)*
a lo mejor *probably*
a menudo *often*
a mi juicio *in my opinion*
a mi parecer *in my opinion*
a pesar de *in spite of*
a veces *sometimes*
a vuelta de correo *by return of post*
abajo *downstairs*
abierto *open*
abonarse (a) *to subscribe (to)*
un abrazo *with best wishes*
abril *April*
abrir *to open*
una abuela *grandmother*
un abuelo *grandfather*
los abuelos *grandparents*
aburrido *bored; boring*
acabar de *to have just*
un accidente *accident*
ácido *acid*
acogedor *welcoming*
aconsejar *to advise*
acostarse *to go to bed*
una actitud *attitude*
una actividad *activity*
la actuación *acting*
actualmente *at the moment*
acusar recibo *to acknowldge receipt*
adelgazar *to slim; to lose weight*
además (de) *as well (as)*
una adicción *addiction*
adjuntar *to attach*
adosado *semi-detached*
un adulto *adult*
un aeropuerto *airport*
afectar *to affect*
afectuosamente *affectionately*
las afueras *outskirts*
agosto *August*
agradable *pleasant*
agradecido *grateful*
agrícolo *agricultural*
el agua (f) *water*
aguantar *to put up with*
ahora *now*
el ajedrez *chess*
al lado (de) *next (to)*
un albergue juvenil *youth hostel*
un álbum (de fotos) *(photograph) album*
el alcohol *alcohol*
una aldea *village*
alegrarse (de) *to be pleased about*
alegre *happy*
alemán *German*
Alemania *Germany*
algo *something*
alguno *some*
allí *there*
el alojamiento *accommodation*
alquilar *to hire*
el alquiler *cost of hire*
alrededor de *about*
alto *tall*
un alumno *pupil*
amable *friendly*
ambicioso *ambitious*
amigo (por correspondencia) *(pen)friend*
la amistad *friendship*
el amor *love*
añadir *to add*
la animación *activity; entertainment*
animado *lively*
un animal *animal*
animar *to liven up*
(tener) ánimos *to feel like*
un año *year*
el Año Nuevo *New Year's Day*
antes (de) *before*
antipático *unpleasant*
el aparcamiento *parking*
un apartado *box (postal)*
un apartamento *flat; apartment*
un apellido *surname*
apetecer *to fancy*
apuntes *notes*
aquí *here*
un árbol *tree*
un arquitecto *architect*
un arreglo *arrangement*
arriba *upstairs*
una asignatura *school subject*
asistir a *to attend; to be present at*
la asistencia *presence*
una aspirina *aspirin*
un ataque (cardíaco) *(heart) attack*
atentamente *yours faithfully*
el atletismo *athletics*
la atmósfera *atmosphere*
atraer *to attract*
aunque *although*
un autobús *bus*
un autocar *coach*
una autocaravana *motor home*
un automóvil *automobile*
autostop (hacer) *to hitchike*
una ave marina *seabird*
una avenida *avenue*
un avión *aeroplane*
avisar *to notify; to warn*
ayer *yesterday*
la ayuda *help*
ayudar *to help*
un ayuntamiento *town hall*
azul *blue*

## b

el badminton *badminton*
un baile *dance*
bajo *short (in height)*
un balcón *balcony*
una ballena *whale*
el ballet *ballet*
el baloncesto *basketball*
el balonmano *handball*
la balonvolea *volleyball*
un banco *bank*
un baño *bath*
un bar *bar*
barato *cheap*
una barba *beard*
una barbacoa *barbecue*
un barco *boat*

un barrio *neighbourhood*
una base *base*
bastante *quite; rather*
la basura *rubbish*
beber *to drink*
un belén *Nativity scene*
Bélgica *Belgium*
un beso *kiss*
una biblioteca *library*
una bicicleta *bicycle*
una bicicleta T.T. (todo terreno) *mountain bike*
bien *well*
un bigote *moustache*
el billar americano *pool*
el billar inglés *snooker*
la biología *biology*
blando *soft*
un bocadillo *sandwich*
una bolsa *bag*
una bolsa de aseo *toilet bag*
bonito *pretty*
un bonobús *bus pass*
un bosque *wood*
una botella *bottle*
el boxeo *boxing*
un brazo *arm*
el bricolaje *D.I.Y.*
bueno (buen) *good*
un bungalow *bungalow*
buscar *to look for*

## C

¿cómo? *what? how?*
¿cuál? *which?*
¿cuándo? *when?*
¿cuánto? *how much?*
un caballo *horse*
una cabeza *head*
cada *each*
un café *coffee*
una cafetería *café*
un cajero *cashier*
un calcetín *sock*
la calefacción *heating*
un calendario *calendar*
caliente *hot*
una calificación *grade; mark*
callado *quiet (of a person)*
una calle *street*
el calor *heat*
una cama *bed*
un camarero *waiter*
un camello *camel*
el camino *way; route*
un camionero *lorry driver*
una campaña publicitaria *publicity campaign*
un camping *campsite*
el campo *countryside*
un campo de fútbol *football pitch*
un canario *canary*
el cáncer *cancer*
una canción *song*
canguro (hacer de) *to babysit*
un cañón *canyon; gorge*
canoso *grey haired*
cansado *tired; tiring*
cantar *to sing*
una cantidad *quantity*
una cantina *canteen*
una capa *layer*
la capital *capital*
una caravana *caravan*
el carbón *coal*
una carga *load*
cariño *darling*
cariñoso *affectionate*
un carnicero *butcher*
caro *expensive*
un carrete de fotos *film for a camera*
una carta *letter*
cartearse con *to write to*
una cartera *wallet*
un cartero *postman*
el cartón *cardboard*
una casa *house*
casado *married*
castaño *brown (chestnut)*
un castillo *castle*
una catedral *cathedral*
catorce *fourteen*
una causa *cause*
la caza *hunting*
una celebración *celebration*
una cena *dinner; evening meal*
cenar *to have dinner*
el centro *centre*
cerca (de) *near (to)*
cerrado *closed*
una cerveza *beer*
un chalet *chalet*
el champán *champagne*
una chaqueta *jacket*
una charla *talk*
un cheque *cheque*
un cheque de viaje *traveller's cheque*
una chica *girl*
un chico *boy*
una chiminea *chimney*
un chubasco *shower of rain*
cien(to) *hundred*
las ciencias *science(s)*
un científico *scientist*
cinco *five*
cincuenta *fifty*
un cine *cinema*
una ciudad *town; city*
un clarinete *clarinet*
una clase *class*
una clínica *clinic; doctor's surgery*
un club de jóvenes *youth club*
un coche *car*
una cocina *kitchen*
una cola *queue*
una colección *collection*
coleccionar *to collect*
un colegio *school*
un colegio estatal *state school*
un colegio infantil *infants' school*
un colegio mixto *mixed school*
un colegio primario *primary school*
un colegio privado *private school*
un colegio religioso *denominational school*
colgar *to hang*
una colilla *cigarette butt*
el colmo *limit*
una colonia de vacaciones *holiday camp*
un color *colour*
un comedor *dining room*
comer *to eat*
una comida *meal; lunch*
una comisaría *police station*
como *as; how*
cómodo *comfortable*
la compañía *company*
complicado *complicated*
comprar *to buy*
comprender *to understand*
un compromiso *commitment; prior engagement*
con *with*
un concierto *concert*
un conductor *driver*
un conejo *rabbit*
una conexión *connection*
una conferencia *lecture*
confirmar *to confirm*
conocer *to know; to be acquainted with*
conocido *well known*
conseguir *to get; to acquire*
un consejo *piece of advice*
constantemente *constantly*
constipado (estar) *to have a cold*
consultar *to consult*
un contable *accountant*
la contaminación *pollution*
contar *to tell*
contar con *to count on; to rely on*
contento *happy*
contestar *to answer*
continuar *to continue*
una conversación *conversation*
el convite *reception*
cordial *cordial; warm*
el correo *post*
el correo electrónico *e-mail*
correos *post office*

correr *to run*
la correspondencia *correspondence*
corresponder a *to correspond to*
una corrida *bullfight*
cortar *to cut*
corto *short*
una cosa *thing*
una costa *coast*
costar *to cost*
el coste *cost*
la costura *sewing*
COU *Sixth Form course (A levels)*
creativo *creative*
creer *to think; to believe*
una crema *cream*
un crismas *Christmas card*
la crueldad *cruelty*
cualquiera *any*
cuarenta *forty*
un cuarto *room*
cuarto de baño *bathroom*
cuatro *four*
cubierto *overcast*
cubrir *to cover*
una cucharada *spoonful*
cuidar *to care for*
un cumpleaños *birthday*
cumplir *to have a birthday*
un curso *school year*

## d

la diarrea *diarrhoea*
¿dónde? *where?*
dar *to give*
dar a *to look onto*
dar recuerdos (a) *to send one's regards (to)*
dar un disgusto *to upset*
unos dardos *darts*
los datos *details*
de acuerdo *OK*
de miedo *terrible*
de momento *at the moment*
de vez en cuando *from time to time*
un deber *duty*
los deberes *homework*
deberse *to be due to*
debido *due; owing*
decir *to say*
una declaración *statement*
una decoración *decoration*
dedicarse (a) *to devote oneself to*
un dedo *finger*
dejar *to leave; to let*
dejar mucho que desear *to leave a lot to be desired*
delante (de) *in front (of)*
delgado *thin*
un dentista *dentist*
dentro *inside*
un dependiente *shopkeeper*
los deportes *sports*
deportista *sporty (of a person)*
deportivo *sporty (of place)*
una depresión *depression*
deprimido *depressed*
la derecha *right-hand side*
un desastre *disaster*
desayunar *to have breakfast*
un desayuno *breakfast*
descansar *to rest*
el descenso *descent*
una descripción *description*
un descuento *discount*
desde *from; since*
un deseo *wish*
desesperado *despairing*
un desfile *parade; procession*
una desilusión *disappointment*
despedirse *to say goodbye*
despejado *clear; bright*
destrozar *to destroy*
destruir *to destroy*
un detalle *detail*
detrás (de) *behind*
un día *day*
el Día de Navidad *Christmas Day*
el Día de Reyes *Epiphany*
dibujar *to draw*
un dibujo *drawing*
dieciocho *eighteen*
dieciséis *sixteen*
diez *ten*
diferente *different*
difícil *difficult*
el dinero *money*
una dirección *address*
un director *director; headmaster*
una directora *headmistress*
un disco compacto *compact disc; CD*
una discoteca *discotheque*
disculparse *to apologise*
disfrutar (de) *to enjoy*
divertido *amusing*
divorciado *divorced*
doble *double*
doler *to hurt*
un dolor *pain*
domingo *Sunday*
el Domingo de Ramos *Palm Sunday*
el Domingo de Resurrección *Easter Sunday*
dormir *to sleep*
un dormitorio *bedroom*
dos *two*
una droga *drug*
una ducha *shower*
dudar *to doubt*
un dueño *owner*
durante *during*
durar *to last*
duro *hard*

## e

echar *to give off; to throw out*
echar de menos *to miss*
la edad *age*
un edificio *building*
la educación física *P.E.*
un efecto *effect*
un ejemplo *example*
un ejercicio *exercise*
eléctrico *electric*
emocionante *exciting*
empezar *to begin*
un empleado *employee*
un empleo *job*
en *in; on*
en construcción *under construction*
en efectivo *in cash*
en forma *fit*
en resumidas cuentas *in summary; in short*
encantar *to delight*
encontrar *to find*
la energía *energy*
enero *January*
enfadado *angry; annoyed*
una enfermedad *illness*
un enfermero *nurse*
enfermo *ill*
engordar *to put on weight*
una ensalada *salad*
entender *to understand*
un entierro *funeral*
una entrada *ticket*
entre *between*
entre semana *during the week*
enviar *to send*
un envío *postage*
equilibrado *balanced*
un equipo *team*
un equipo de música *music system*
escayolar *to put in plaster*
una escena *scene*
Escocia *Scotland*
escribir *to write*
escuchar *to listen to*
España *Spain*
español *Spanish*
un esparadrapo *sticking plaster*
especial *special*
esperar *to hope*
una estación *station*
un estadio *stadium*
los Estados Unidos *U.S.A.*

una estancia *stay*
estar *to be*
estar de acuerdo *to agree*
la estatura *size; height*
el este *East*
Estimado ... *Dear ... (when starting a formal letter)*
un estómago *stomach*
estricto *strict*
un estudiante *student*
estudiar *to study*
un estudio *study*
estupendo *brilliant*
estúpido *stupid*
la ética *P.S.E.*
una evaluación *school report*
exactamente *exactly*
un examen *exam*
excesivo *excessive*
explicar *to explain*
una exposición *exhibition*
expresar *to express*
el extranjero *abroad*
un extremo *end*

una fábrica *factory*
fácil *easy*
falso *false*
una familia *family*
famoso *famous*
un farmaceútico *chemist*
una farmacia *chemist's*
fatal *awful*
un favor *favour*
favorito *favourite*
febrero *February*
una fecha *date*
una felicitación *greeting*
feliz *happy*
feo *ugly*
una fiebre *temperature*
una fiesta *fiesta; party*
una fila *row*
un fin de semana *weekend*
la física *physics*
el flamenco *flamenco*
un folleto *brochure; leaflet*
el footing *jogging*
una foto *photograph*
(el) francés *French*
Francia *France*
franqueado *stamped*
frío *cold*
el frontón *pelota (court)*
fuera *outside*
fuerte *strong*
fumar *to smoke*
funcionar *to work*
el fútbol *football*
el fútbol sala *indoor football*
el futuro *future*

gracias *thank you*
unas gafas (de sol) *(sun)glasses*
una galería de arte *art gallery*
Gales *Wales*
ganar *to earn*
un garaje *garage*
una garganta *throat*
el gas *gas*
una gasolinera *petrol station*
un gato *cat*
genial *cheerful*
la gente *people*
la geografía *geography*
un gerente *manager*
la gimnasia *gymnastics*
la gimnasia rítmica *dance gymnastics*
el golf *golf*
gordo *fat*
una gota *drop*
Gran Bretaña *Great Britain*
grande *big*
la grasa *fat*
gratuito *free*
grave *serious*
la gripe *flu*
gris *grey*
guapo *beautiful; good looking*
una guardería infantil *nursery*
una guía *guide*
una guitarra *guitar*
gustar *to like*
el gusto *pleasure*

¡hola! *hello*
haber *to have*
una habitación *room*
un habitante *inhabitant*
hablador *talkative*
hablar *to speak; to talk*
habrá *there will be*
hacer *to do; to make*
hacer autostop *to hitchike*
hacer camping *to go camping*
hacer de canguro *to babysit*
hacerse socio *to become a member*
el hambre (f.) *hunger*
hambre (tener) *to be hungry*
hasta *until*
hasta luego *see you later*
hasta pronto *see you soon*
hay *there is; there are*
he aquí *here is*
una helada *frost*
(estar) helado *(to be) frozen*
una herida *wound; injury*
una hermana *sister*
una hermanastra *step-sister*
un hermanastro *step-brother*
un hermano *brother*
una hija *daughter*
un hijo *son*
la historia *history; story*
histórico *historical*
el hogar *hearth; fireplace*
una hora *hour*
un horario *timetable*
horrible *horrible*
un hospital *hospital*
un hotel *hotel*
hoy *today*
hoy en día *nowadays*
el humo *smoke*

I.V.A. *V.A.T*
una idea *idea*
los idiomas *languages*
una iglesia *church*
impaciente *impatient*
imponible *taxable*
importante *important*
el importe *total amount*
imposible *impossible*
imprudente *careless*
inclusive *inclusive*
indicado *indicated*
individual *individual*
industrial *industrial*
infantil *children's*
un infarto *heart attack*
la información *information*
la informática *I.T.*
la ingeniería *engineering*
un ingeniero *engineer*
Inglaterra *England*
(el) inglés *English*
innecesario *unnecessary*
inolvidable *unforgettable*
un insecto *insect*
una insolación *sunstroke*
insoportable *unbearable*
una instalación *facility*
un instituto *secondary school*
insuficiente *unsatisfactory*
inteligente *intelligent*
los intensivos *intensive care unit*
un interés *interest*
interesante *interesting*
interesar *to interest*

el interior *inland*
inútil *useless*
el invierno *winter*
una invitación *invitation*
invitar *to invite*
una inyección *injection*
ir *to go*
ir de paseo *to go for a walk*
Irlanda *Ireland*
Italia *Italy*
italiano *Italian*

junto (con) *together (with)*
un jaleo *racket; din*
un jarabe *(liquid) medicine*
un jardín *garden*
una jaula *cage*
joven *young*
un joven *young person*
Jueves Santo *Maundy Thursday*
jugar *to play*
julio *July*
junio *June*

kilo *kilo(gram)*

un laboratorio *laboratory*
un lago *lake*
lamentar *to regret; to be really sorry about*
una lástima *pity*
una lata *tin*
un lavabo *wash-hand basin*
la leche *milk*
la lectura *reading*
leer *to read*
lejos *far (away)*
un lema *slogan; motto*
una lengua *language*
una lesión *injury*
la letra *words; lyrics (of a song)*
una libra *pound*
libre *free*
limpio *clean*
una lista *list*
listo *ready; clever*
llamado *so-called*
llamar *to call*
llamar la atención *to attract attention*
llamarse *to be called*
una llave *key*
llevar *to wear*
llevarse bien *to get on well*
llover *to rain*
la lluvia *rain*
lo antes posible *as soon as possible*
loco *mad*
lógico *logical*
un lugar *place*
lunes *Monday*

la madera *wood*
una madrastra *step-mother*
una madre *mother*
mal *bad*
maldito *damned*
una maleta *suitcase*
malo *bad; ill*
mañana *tomorrow*
la mañana *morning*
mandar *to send*
una manera *way; manner*
una mano *hand*
mantenerse en forma *to keep oneself fit*
un mapa (m.) *map*
una máquina de fotos *camera*
el mar *sea*
mareado *dizzy; sick*
la marijuana *marijuana*
marrón *brown*
marzo *March*
más *more*
la matanza *slaughter; killing*
matar *to kill*
las matemáticas *maths*
el material *material*
mayo *May*
mayor *older*
la mayoría *majority*
me *me; myself*
un mecánico *mechanic*
media pensión *half board*
mediano *average; medium*
medianoche *midnight*
la medicina *medicine (liquid)*
un médico *doctor*
medio *half*
el medio ambiente *environment*
mediodía *midday; noon*
medir *to measure*
mejor *better*
menor *younger*
un mensaje *message*
un menú *menu*
un mercado *market*
merendar *to have tea*
un mes *month*
una mesa *table*
metálico *tinny*
un metro *metre*
mi *my*
mil *thousand*
un militar *soldier*
una milla *mile*
un millón *million*
mío *mine*
la Misa del Gallo *Midnight Mass*
mixto *mixed*
un modelo *model*
moderno *modern*
molesto *annoying*
un monedero *purse*
un monitor *monitor*
una montaña *mountain*
montañoso *mountainous*
un montón de *lots of; loads of*
moreno *dark; tanned*
morir *to die*
una moto (f.) *motorbike*
muchísimo *very much*
mucho *a lot*
una muela *back tooth*
muerto *dead*
un multicine *multi-screen cinema*
una muñeca *wrist*
un museo *museum*
la música *music*
muy *very*

la nacionalidad *nationality*
nada *nothing*
nadar *to swim*
la natación *swimming*
navidad *Christmas*
necesitar *to need*
negativo *negative*
nevar *to snow*
una nevera *fridge*
ni *neither; nor*
la niebla *fog*
la nieve *snow*
ninguno *no; none*
una noche *night*
la Nochebuena *Christmas Eve*
la Nochevieja *New Year's Eve*
un nombre *(first) name*
normal *normal*
normalmente *normally*
el noroeste *North West*
el norte *North*
una nota *note*
unas notas *marks*
las noticias *news*
novia *girlfriend*
noviembre *November*
novio *boyfriend*

nublado *cloudy*
nuestro *our*
nuevo *new*
nunca *never*
el noreste *North East*

## o

olvidar *to forget*
o *or*
una obra de teatro *play*
un obrero *workman*
una ocasión *occasion; time*
ocho *eight*
octubre *October*
el oeste *West*
una oficina *office*
el oído *inner ear*
un ojo *eye*
oler (huele) *to smell (it smells)*
olvidable *forgettable*
once *eleven*
una ópera *opera*
una opinión *opinion*
un ordenador *computer*
organizar *to organize*
el otoño *Autumn*
otro *other*
el ozono *ozone*

## p

¿por qué? *why?*
un pabellón sanitario *toilet block*
paciente *patient*
un padrastro *step-father*
un padre *father*
los padres *parents*
pagar *to pay*
un pago *payment*
un país *country*
el paisaje *countryside*
la paja *straw*
una pantalla *screen*
Papá Noel *Father Christmas*
el papel higiénico *toilet paper*
un papel *piece of paper*
para *in order to; for*
el paradero *whereabouts*
una parcela *plot of land*
parecer *to seem*
el paro *unemployment*
(en) paro *on the dole*
un parque *park*
un parque de atracciones *theme park; funfair*
un partido *match*
pasado *last*
un pasaporte *passport*
pasar *to spend (time)*
pasarlo bien *to have a good time*
un pasatiempo *hobby; pastime*
la Pascua *Easter*
un paseo *stroll*
pasivo *passive*
un paso *float (in a parade or procession)*
un pastel *cake*
una pastelería *cake shop*
una pastilla *tablet*
pedir *to ask for*
una película *film*
un peligro *danger*
peligroso *dangerous*
el pelo *hair*
un penitente *penitent*
pensar *to think*
pensar (en) *to think (about)*
una pensión *boarding house*
pensión completa *full board*
peor *worse*
pequeño *small*
perderse *to get lost*
una pérdida *loss*
perezoso *lazy*
un periódico *newspaper*
un periodista *journalist*
perjudicar *to be bad for*
pero *but*
un perro *dog*
una persona *person*
personal *personal*
el pésame *message of condolence*
la pesca *fishing*
pescar *to fish*
una peseta *peseta*
un peso *weight*
un petrolero *oil tanker*
una picadura *sting; bite*
picar *to sting*
una pierna *leg*
un pijama *pyjamas*
pintar *to paint*
un pintor *painter; artist*
pintoresco *picturesque*
la pintura *painting*
una piscina *swimming pool*
un piso *flat; floor*
una pista *court*
una placa *number plate*
un placer *pleasure*
el planeta *planet*
un plano *plan*
plantar *to plant*
el plástico *plastic*
una playa *beach*
una plaza *square*
pleno *full*
poco *little*
poder *to be able (to)*
un policía *policeman*
la policía *police*
un polideportivo *sports centre*
poner *to put*
por *for; by*
por aquí *around here*
por ejemplo *for example*
por favor *please*
por lo menos *at least*
porque *because*
Portugal *Portugal*
positivo *positive*
una postal *postcard*
practicar *to practise*
un precio *price*
preferido *favourite*
preferir *to prefer*
preguntar *to ask*
preocupado *worried*
preocuparse *to worry*
preparar *to prepare*
presentarse *to introduce oneself*
primario *primary*
la primavera *Spring*
primero *first*
privado *private*
un problema (m.) *problem*
una procesión *(religious) procession*
producir *to produce*
una profesión *profession; occupation; job*
un profesor *teacher*
prohibir *to ban*
pronto *soon; early*
próximo *next*
un psicólogo *psychologist*
público *public*
un pueblo *town*
pues *well*
un punto clave *a key point*
un punto de vista *point of view*

## q

¿qué? *what?*
¿quién? *who?*
que *which*
quedar en *to arrange to*
quedarse (en casa) *to stay (at home)*
una queja *complaint*
quejarse (de) *to complain (about)*
una quemadura (de sol)(sun)burn
querer *to love*
Querido *Dear (to start an informal letter)*
la química *chemistry*
quince *fifteen*
quizás *maybe; perhaps*

## r

el rafting *rafting*
realizar *to carry out*
recetar *to prescribe*
recibir *to receive*
reciclar *to recycle*
recomendar *to recommend*
recordar *to remember*
el recreo *break*
un recuerdo *souvenir*
recuerdos a *regards to*
reembolsar *to reimburse; to return money*
un regalo *present*
un régimen *diet; régime*
una región *region*
la religión *R.E.*
religioso *religious*
un remedio *remedy; solution*
remitente *sender*
reservar *to book*
un resfriado *cold*
un residente *resident*
respetar *to respect*
respirar *to breathe*
una respuesta *reply*
un restaurante *restaurant*
resultar *to turn out*
una reunión *meeting*
una revista *magazine*
los Reyes Magos *Three Wise Men*
un río *river*
rogar *to request*
la ropa *clothes; clothing*
la ropa interior *underwear*
roto *broken*
rubio *blond*
un ruido *noise*
ruidoso *noisy*

## s

sábado *Saturday*
saber *to know*
sacar buenas notas *to get good marks*
sacar fotos *to take photographs*
sacar un trabajo *to get a job*
una sala de fiestas *night club*
sala de billar *billiard hall*
salir *to go out*
un salón *lounge*
saludar *to greet*
saludos *greetings*
el Santo *Saint's Day*
una secretaria *secretary*
la sed *thirst*
seguir *to follow*
segundo *second*
seis *six*
un sello *stamp*
una semana *week*
Semana Santa *Holy Week*
señor *Mr.*
señora *Mrs.*
señorita *Miss; Ms.*
sentir *to be sorry; to feel*
separado *separate*
septiembre *September*
ser *to be*
el servicio *service*
sesenta *sixty*
setecientos *seven hundred*
severo *severe; strict*
si *if*
sí *yes*
siempre *always*
una sierra *mountain range*
siguiente *following*
simpático *kind*
sin *without*
sin embargo *however*
un sitio *place*
situado *situated*
un sobre *envelope*
sobre *on; about*
un socio *member*
el sol *sun*
soler *to be accustomed to*
sólo *only*
una solución *solution*
su *his; her; your (formal); their*
sucio *dirty*
suelto *loose*
el sueño *sleep*
la suerte *luck*
suficiente *sufficient*
sumamente *extremely*
superar *to overcome*
un supermercado *supermarket*
suponer *to suppose*
un supositorio *suppository*
el sur *South*
el sureste *South East*
el suroeste *South West*

el tabaco *tobacco*
un talonario de cheques *cheque book*
también *also*
una tarde *afternoon*
tarde *late*
una tarjeta *card*
una tarjeta de crédito *credit card*
una tarta *cake*
un taxi *taxi*
un teatro *theatre*
un técnico *technician*
un teléfono *telephone*
una televisión *television*
una temporada *season*
tener *to have*
tener ganas *to feel like*
tener lugar *to take place*
tener que *to have to*
el tenis *tennis*
terminar *to finish*
una terraza *terrace*
una tía *aunt*
el tiempo *time; weather*
una tienda *shop*
una tienda de camping *tent*
un tigre *tiger*
un tío *uncle*
típico *typical*
un tipo *type*
tirar *to throw away*
una tirita *plaster*
un titular *heading; title*
una toalla *towel*
un tobillo *ankle*
un tobogán acuático *water slide*
tocar *to play (an instrument)*
todavía *still; yet*
todo *all; everything*
tomar *to take*
tonto *silly; stupid*
torcer *to twist*
una tormenta *storm*
un toro *bull*
torpe *slow*
una tos *cough*
trabajador *hard-working*
trabajar *to work*
un trabajo *work*
trabajo a medio tiempo half-time job
trabajo de tiempo parcial part-time job
trabajo de tiempo completo full-time job
un trabajo temporal *temporary job*
los trabajos manuales *craft*
una tradición *tradition*
tradicional *traditional*
el tráfico *traffic*
tranquilo *quiet*
un tren *train*
tres *three*
triste *sad*
una trompeta *trumpet*
un trozo *piece*
tu *your (informal)*
tú *you (informal)*
el turismo *tourism*
un turista *tourist*
turístico *tourist (adj.)*

último *last*
único *only*
una universidad *university*
universitario *university (adj.)*
usted *you (formal)*
útil *useful*

las vacaciones *holidays*
varios *several*
un vaso *glass*
vegetariano *vegetarian*
veinte *twenty*
una venda *bandage*
venir *to come*
ver *to see*
veranear *to spend the Summer*
el verano *Summer*
la verdad *truth*
verde *green*
la verdura *vegetables*
una vez *once*
los videojuegos *videogames*
el vidrio *glass*
viejo *old*
el viento *wind*
el Viernes Santo *Good Friday*
el viernes *Friday*
vigilado *supervised; secure*
el vino *wine*
una visita *visit*
visitar *to visit*
una vista (al mar) *(sea) view*
una viuda *widow*
un viudo *widower*
vivir *to live*
volver *to return*
volverse sordo *to go deaf*

y *and*
ya *already; now; at once*
yo *I; me*

una zanahoria *carrot*
un zapato *shoe*
una zona *zone; area*
un zoo *zoo*
zoológico *zoological*
un zorro *fox*